岩　波　現　代　文　庫

僕が批評家になったわけ

加藤典洋
Norihiro Kato

文芸 317

岩波書店

目　次

装丁＝桂川　潤

Ⅰ　批評とは何か

1　この本のタイトル

この本の表題が「僕が批評家になったわけ」になったわけ

批評とは何か。

ということを考えようと思い、準備していたら、面白いことがわかった。

筆者はもう二十年以上のあいだ、批評を書いてきているが、よく考えてみると、批評とは何か、と考えたことなど一度もない。批評の歴史の本というものも、抜いたことがない。批評理論の本というものも、てんからあれは、批評について考える学者のような人が読む本だと思ってきた。

そんな人間が、批評の本を書くために、批評とは何かと改めて考え、また、そのための本を読んだりしたら、それは、ちょっと変ではないだろうか。というより何より、誰もそんな一夜漬けの代物は、読みたくないだろう。

批評とは何か、も何も、筆者はいま自分の書いているものが批評というものなのだろうと思っている。どこかに批評という定義があって、その条件に合致しているからと確信していうのではない。あるとき、批評というのはこういうものであるはずだ、そうでなければずいぶんとつまらない、と思い、批評とはこうだと、とりあえず自分用に、決めたのである。

そのとき、こと改めて一大決心をしたというのではない。ひとまず、前に進むのに、そう思うことにした。けれども、二十年以上もたってみると、そのとき決めたことが、いまも自分のなかに、生きていることに気づく。

この本の表題が、「批評とは何か」でも「批評のことば」でもなく、「僕が批評家になったわけ」と、ちょっと変則的なものになっているのは、そういう気持からである。

タイトルはこうだけれども、筆者の考える、批評、ことば、批評にまつわるいろいろなことを、心に浮かぶまま、書いていく。

普遍的なことを心もとない言い方でいうこと

もっとも、この本のそもそもの趣旨が批評とことばの本だ。批評とは何か、ということで専門家(?)がふだんはどういっているのかを知りたいという人も、いるだろう。実は筆者も、そのことを少し知りたくなった。で、ちょっと調べてみた。そこからなるほどとわかったこともある。しかし、そのことは後でいう。いまはむしろ、違うことをいいたい。こちらのほうが大事かもしれない。

それは、もしあなたが、そういう読者なら、というのでいうと、批評とは、そういう知り方のレールから、脱線することだ、ということだ。そうでなければ、どこが学問と違う？　ということにもなる。トロッコが脱線する。ゴトゴトと揺れながら、レールのないところにはみ出ていく。本当の哲学は哲学に抵抗する、といったのはパスカルかな。

批評も同じ。

何か心もとないな、と思われるかもしれない。

しかし筆者の考えでは、この心もとないゴトゴト歩きのなかに批評は生きている。

批評は、誰にとってもこうだ、というような言い方ではない言い方、自分にいま感じられる言い方で、誰にとってもそうであるはずだ、というようなこと、普遍的なことを、いってみることだ。というか、普遍的なことをいおうとすると、変な言い方になってしまうことが、「批評を書く」ということなのである。

では、筆者にとって批評とは何か。

とりあえず、

「ことばで出来た思考の身体」

といっておく。

だから、

大事なのは、

まず、

「自分で考えること」である。

筆者が批評を(雑誌などに)書くようになったのは、一九八二年くらいから。三十歳をすぎている。だいぶ遅い。その理由はいつか別のところで書くかも知れないが、いまは措く。

そのころ、こんなことがあった。

2　僕が批評家になったわけ

最初の批評

筆者は一九七八年から一九八二年にかけて、カナダにいた。カナダのフランス語系の大学の東アジア研究所というところで図書館員をやっていたのである。

日本の図書を扱う仕事だったので、日本語の本には事欠かなかったが、日本から離れたくてカナダに来たという気持があり、図書館で定期購読している日本の雑誌は読まなかった。日本の本も余り読まなかった。では何をしていたかというと、車の運転をおぼえ、週末になると、ケベック州の北半分にある湖沼地帯を走っていた。五歳と二歳の幼児を載せ、妻と四人、車で走っていたのである。日本は海の向こう、地球の裏側、遠くにあった。

ところで、筆者のいない三年半のあいだに、日本の文学の世界は、大きく変わる。小説の世界では、村上春樹と高橋源一郎が新しく登場する。

一九七九年の六月に村上春樹の『風の歌を聴け』が群像新人文学賞を受賞し、一九八一年九月に高橋源一郎の『さようなら、ギャングたち』が群像新人長編小説賞を受賞する。筆者はいま文芸関係の新人賞の選考委員をしているが、この時期、選考委員をした人はこれだけよい作品に恵まれ、幸運だったなあと思う。しかし、実際に当時の選評を見ると、これらの作品も、さほど当時の選考委員を「驚愕させた」というのではなさそうだから、面白い。本当に新しいものは新しいとは認められないのだ。『さようなら、ギャングたち』など、「わたしはお手あげだった。部分的に光るイメージはあるものの、これが長編小説と云えるだろうか」という選考委員の反対により、やむなく当選作ではなく優秀作での掲載。両作とも、受賞後まもなく単行本で刊行されるが、ともに芥川賞とは縁がない。

また、批評の世界でも大きな変化が起ころうとしていた。ポストモダン批評というものが日本に本格的に紹介されはじめるのだ。

一九七九年の十一月にフランス文学者の蓮實重彦が『表層批評宣言』を、また、一九八〇年の八月には批評家の柄谷行人が本格的な初のポストモダン批評作品である『日本近代文学の起源』を、それぞれ刊行。その後、二十五年間近く日本を、また欧米全体の思潮を席巻することになるポストモダンと呼ばれる思潮、哲学、思想が、この極東の島国を揺さぶろうとしていた。

そんな日本に、一九七八年十一月以来、すっかりカナダぼけした筆者は、戻ってくる。

そんな筆者が文芸誌に批評を書くようになったのは、ひょんなことから、一九八〇年十二月に文藝賞を受賞し、一九八一年を通じてベストセラーとなっていた田中康夫の『なんとなく、クリスタル』にふれ、一つの文章を書いたのが、きっかけである。

友人が『早稲田文学』というリトル・マガジンの編集委員をしていた関係で、「「アメリカ」の影——高度成長下の文学」という評論を載せてもらう。当初は最近評判の小説について二十枚ほど書かないかといわれ、書いたのだが、書きはじめたら、ついつい興が乗って長くなり、三回も連載させてもらった(一九八二年八月号—十一月号)。この長編評論が注目され、文芸誌から声がかかったのである。

何か書けといってくれたのは河出書房新社から出ていた『文藝』という雑誌。

そこに新刊書をかなり深く論評する「今月の本」という欄が新設され、三名ないし四名の若手の新人評論家が抜擢され、執筆を担当した。

一回約五十枚、批評対象は執筆者の自由。

一回目は、村上春樹の『羊をめぐる冒険』の指定があったが、帰国してすぐにこの作品を読み、興奮を感じていた筆者としては、望むところだった。

二回目は村上龍の新作『だいじょうぶマイ・フレンド』。これは自分で選んだ。

そして開始から半年後、三回目の順番が回ってきたとき、やはり自分から希望して、批評家柄谷行人の『隠喩としての建築』という本を選んだ。この批評家の書くものが当時、飛ぶ鳥も落とす勢いで喧伝されていたからである。

このときの執筆が、筆者にとって現在にいたる、批評の意味を決定する、先に述べた、大きな契機となる。

一九八三年という年

背景説明が必要だろう。

一九八二年から八三年にかけては、こういう時代だった。

小説でいうと、

一九八二年八月　　村上春樹「羊をめぐる冒険」
　　　　　　　　　中上健次『千年の愉楽』

十一月　丸谷才一『裏声で歌へ君が代』
唐十郎「佐川君からの手紙」
一九八三年四月　中上健次『地の果て至上の時』
古井由吉『槿』
五月　富岡多恵子「波うつ土地」
六月　島田雅彦「優しいサヨクのための嬉遊曲」
大江健三郎『新しい人よ眼ざめよ』
十月　桐山襲「パルチザン伝説」

批評は、

一九八二年二月　蓮實重彦「物語批判序説」第一部
三月　中野孝次「「文学者の声明」について」
吉本隆明「マス・イメージ論」連載開始
十二月　三浦雅士『主体の変容——現代文学ノート』
前田愛『都市空間のなかの文学』
一九八三年一月　江藤淳「自由と禁忌」連載開始

三月　竹田青嗣『〈在日〉という根拠――李恢成・金石範・金鶴泳』
九月　柄谷行人『隠喩としての建築』
九月　浅田彰『構造と力――記号論を超えて』
十一月　小林秀雄『白鳥・宣長・言葉』
　　　　中沢新一『チベットのモーツァルト』

こう書いてもわからないかもしれないが、たとえば柄谷行人編『近代日本の批評Ⅱ 昭和篇[下]』(講談社文芸文庫)所収の「昭和批評史・略年表一九四五―一九八九」を抜くと、一九八三年の項に、「この頃ニュー・アカデミズム・ブーム、現代思想ブーム起こる」と出てくる。

一九八三年は、ポストモダン思潮が完全に日本の文壇を席巻する、その最初の兆候が現れた年だった。この年の前半に小林秀雄が死去している。後半に現れた浅田彰『構造と力――記号論を超えて』がこの種の思想関係の著作としては異例のベストセラーとなり、中沢新一の『チベットのモーツァルト』もこれに次ぐ話題作となる。この年は、ニュー・アカ、現代思想元年。そして、当時、なかで最も強力で、カリスマ的な影響力を発揮しつつあったのが、批評家の柄谷行人だった。

ソクラテス的論法

筆者は、もとからこの批評家には関心をもっていた。一九七三年三月、連合赤軍事件の直後に発表された「マクベス論」の印象が強烈で、この批評家にはリアルな批評の力があると感じたからである。

そのうえ、カナダにいたのでこの批評家が新しい意匠としていたポストモダン批評というものの北米での状況に、少しは通じていた。その後、数年してから日本でも訳されるダグラス・R・ホフスタッター著『ゲーデル、エッシャー、バッハ――あるいは不思議の環』は、帰国直前の北米の書店に、どこでも山積みされていた。話題の本だった。そのため、この同じ批評家が、先の「マクベス論」からおよそ十年後、それこそ北米で当時ベストセラーになっている著作を種本の一つに、新しい知的意匠をまとって圧倒的な影響力を行使しているのを見ると、本を読んでみようじゃないか、という気になったのである。

そのときの筆者の気持は、書かれたものに、こんなふうに出てくる。

もともとぼくはこの批評家の良い読者ではない。（中略）

そのぼくが、今になってマルクスもゲーデルも、ソシュールもジャック・デリダもほとんど知らないまま、あえてこの「教養」に富む批評家に取り組む気になったのには、いくつかの理由がある。しかし、その中で最も基本的な理由は、何も知らない読者としてこの「難解」(?)な批評家の仕事に相対する、その時、そこからどんなメッセージを受け取ることができるか、そんな関心がぼくの中に芽生えたからである。

(「畏怖と不能——柄谷行人『隠喩としての建築』」『批評へ』弓立社、一九八七年)

筆者はまた、この批評家のこんなことばを引いている。

私は、自分が無知であることを知っているという、あのソクラテス的論法が嫌いである。(……)文学者が書いているものから、私はほとんど何も「知る」ことがない。無知はたんに無知であって、無知であることを知っていることは、いささかも事態を変えるものではない。

(「リズム・メロディ・コンセプト」『隠喩としての建築』講談社、一九八三年、二六九―二七〇頁)

そしてこれについて、こう書く。少し長いが、引いてみよう。

こういう考え方は、ぼくの考え方とずいぶん違う。ソクラテスについても、ぼくの知見はごく狭いものだが、「知る」という行為をこのように理解してしまうと、世界はかなり平板なものとなってしまうのではないだろうか。柄谷は、知ってこのことをいっているわけだが、いわばお金で買えないモノは何一つない、お金で買えない大切なモノがあるなどという、「ソクラテス的論法」(?)が自分は嫌いだ、と述べているのである。(中略)

これは、小林秀雄のベルグソン論を通読しようとした折り、だから、かなり前からの疑問なのだが、批評とか物を考えるとかということは、たえずベンキョーしていなければできないものなのだろうか? 柄谷は、色々な意味でぼくには壊れた小林秀雄というように見えるが、あの五十数回雑誌連載を繰り返してとうとう中挫した「感想」執筆中に、小林もまた、きっとこの疑問に苦しんだに違いない。要するにぼくは、何も勉強しないで柄谷の本の前に立てば、それが一つの批評行為になるだろうという、奇妙な確信に支えられたのである。

(前掲「畏怖と不能――柄谷行人『隠喩としての建築』」)

ところで、むろんこの批評文は、この後すんなりと書き終えられたのではなかった。執筆をはじめ、数日したあたりで、にわかに不安が兆した。そして不如意が生じた。

夜、眠れなくなったのである。

百冊と一冊

柄谷行人著『隠喩としての建築』には、おびただしい思想家、哲学者の名、引用、現代思想に特有の用語が出てくる。最初の十頁をとっただけでも、ヴィトゲンシュタイン、ポール・ド・マン、ポール・ヴァレリーからの引用のほか、プラトン、アリストテレス、F・M・コーンフォード、ニーチェ、ゲーデル、ガリレイ、ニュートン、マルクス、フッサール、ヘーゲル、ホワイトヘッド、ロック、マラルメ、ポウ、ヤーコブソン、レヴィ＝ストロースら。さらに用語ではテクネー、アルケー、ポイエーシス、de-construct、テクスト、構造主義、「不完全性」(ゲーデル)。

ざっとこんな具合である。

ここにあげられているのは、いってみれば人類の歴史が淘汰するなかで生き残った世界の大思想家たち、そしてここ数十年来、同時代を動かしつつある欧米の先鋭な現代思想の担い手たちである。書いているうちに、筆者はだんだん気分が下降してきた。いくら「何も勉強しないで」これらの思想の成果を駆使した批評に「相対する」などといっても、これは無理なのではないか。というより無茶なのではないか。それら背景になっている思想をしっかり理解した上でなければ、勝負にならないのではないか。オレはここに書かれていることに関して、とんでもない、初歩的な間違いを犯しているのかもしれないゾ。

一度、そういう不安が身をもたげてくるともうダメ。夜、布団のなかで眠ろうとするとからだが冷たい。心臓の鼓動が高まり、いくら布団にもぐっても震えがくる。物書きの仕事をしていて、これほどの身体的な異常に見舞われたことはあまりない。どうしようもないので、六月ごろのマンションの部屋を午前三時くらいに抜け出し、建物の道路を隔てたすぐ向かいにある河原沿いの土手を、歩きながら、どうしよう、やはりフーコーとかデリダくらいは、本を買ってきて読んでみようか、読んだからといって悪いことはないだろう、と考えたり、しかしもう締め切りが迫っていて時間がない、と思ってみたり、いや、そんなことをするくらいならなぜこの本を選んだのだ、と自分を叱咤したりしたが、こうした不安な夜の二日目くらいの散歩で、こう考えた。そしたら、不思議なくらい、心が落ち着いてきた。

お前は批評というものをしたいのか。批評というものがどういうものか、お前は知らない。しかし、もし、批評というものが、本を百冊読んでいる人間と勝負するのに、自分も本を百冊読んで、そこに書かれたものの善し悪しを云々するだけのものなら、それは学問とどこが違うだろうか。所詮は学問の中途半端なものというにすぎないではないか。お前は批評をそういうものだと思って、やろうと考えたわけではないだろう。批評というものが、学問とはとことん違い、本を百冊読んでいる人間と本を一冊も読んでいない人間とが、ある問題を前にして、自分の思考の力というものだけを頼りに五分五分の勝負をできる、そういうものなら、これはなかなか面白い。そう思ってお前は、この批評という世界に関心を抱いて、これに手を染めてみようと思ったのではないのか。だからこそ、この本を数百冊（？）読んで書かれているかに見える「カリスマ」的な批評家の著作を前に、ちょっくら何の本も読まずに、書かれたものから読み取れる意味だけを相手にして、それが自分の価値観からいって、可か、不可か、判断してみようという気持を起こしたのではないのか。だからこう考えればよい。批評が何か、そんなことは知らない。しかしお前にとっては、批評とは、本を一冊も読んでなくても、百冊読んだ相手とサシの勝負ができる、そういうゲームだ。たとえばある新作の小説が現れる。これがよいか、悪いか。その判断に、百冊の読書は無関係だ。ある小説が読まれる。ある美しい絵が出現する。そういうできごとは、それ以前の百冊の読書、勉強なんていうものを無化するものだからだ。だからすばらしい。だから、批評はそういう相手に――美というものに――ひかれるのではないか。また、あるできごとが価値あることか、価値ないことか。何が善で何が悪か。その判断にも、究極的には、本百冊を読んでいるかいないかは、関係してこないのではないか。そうでなければ、考える、ということの意味が、なくなるのではないか。もし誰かがそんなものは批評ではない、と証明してくれたらそれでも構わない。でも、もし、批評がこういうゲームではないのだとしたら、そんなゲームは、面白くない、そんなものが批評なら、批評なんてゴメンとばかり、とっととこの世界から撤退することだ。だから、こうなる。初歩的な間違いをおそれたら、批評はできない。ということは、このようなものとして批評をやろうと思う限り、この不安はつきものだということだ。これはおまえのゲームにとっては、掛け金なのだ——。

夜、川の土手でこう考えたら、平常心が戻ってきた。不思議なくらい、気持が静まり、眠れるようになった。後を書きついで、この原稿五十枚ほどの書評文を数日後には終えることができた。

この批評文は、こう締めくくられている。

「形式化の諸問題」は自己言及、二重拘束について語るが、それは(形式的に——引用者)全ての領域をカバーしながら、個別的にはそのどの領域の問題にも適用されない、ちょうど自分の固有領土を「バチカン」にしか持たないローマ法王のような著作となっている。(中略)

世界がなりたつための条件とはどのようなものだろうか。「近代国家」を越えるどのような原理もない、と述べた時、ちょうど柄谷は、ローマ法王を越えるどのようなキリスト教的権威もない、(中略)といったのと同じである。

しかし、やっぱり、世界はそのようには成立していない。網は魚をつかまえるが、一尾の魚のもつ世界が網よりも大きくなければ、もともとその網が存在しないからである。

（前掲「畏怖と不能――柄谷行人『隠喩としての建築』」）

この最後の三行に、当時の筆者のこの夜の発見が語られている。

一尾の魚を網はとらえる。けれども網が存在するのは、網よりも広い世界がそこにあるからである。そして一尾の魚は、その広い世界に属している。網は、魚を捕まえることで、その広い世界と関係をもつのだ。

批評は、その網と似ている。網のことなんてふつうの人は知らない。でも網は魚をとるためにある。そしてその魚についてなら、誰もが、食べればおいしいか、おいしくないか、わかる。網のことなど知らなくとも、その網がよい網かよくない網かは、そこに捕まえられた魚を食べてみることで、誰にもわかるのである。

山の広さと高さ

以上が、筆者が二十年以上前、批評とは少なくとも自分にとってはこういうものだと、自ら考えて出した答えである。

さて、批評をこのようなものだと考えてみると、ここからいくつかの問題が出てくる。

批評が一つの山だとすると、これは、山の裾野を広げるていの批評観である。誰もが山にアクセスしやすくなる。しかし、山は高くないと誰もが登ってみようという気にならないのではないか。この山が高い山になるという場合、ここからは、どんな「難しい問題」が出てくるのか。

これが一つの問題。

さらに、この、誰もがアクセスできるという側面と、批評というものごとを考えることばの働きの、万人のアクセスを許容しない「難しさ」の側面の、いずれが批評にとっては大切だと考えるべきか。

これがもう一つの問題である。

ここでは、後のほうの問題についてだけ、答えを出しておこう。

本当をいうと、この二つは、対立しないのかもしれない。しかし、対立する場面がないわけでもない。対立したとき、いずれを大事と考えるべきか。前者、誰もがアクセスできるということのほうが、大事だ。

そう筆者は考える。

理由は、そうでないと、どれがよい批評で、どれがよくない批評か、誰にもわからなくなるからである。その魚をとるのに、どんな深海までももぐらなければならなかったとしても、どんなに高度な網が必要だったとしても、魚は魚。誰もが食べたら、おいしいか、まずいか、わかる。子供が食べても、おじいさんが食べても。

そのことのうちに、批評を健全にたもつ、風通しのよさがある。そうでないと、必ずや批評は、一部の人の玩弄物に収縮してしまうだろう。

こういう場所から、いま、自分にとってではなく、人々にとって、批評はどのようなものとして存在してきたか、現にどのようなものとして生きているか、さらに今後、どのようなものとして育つ可能性をもっているか、そしてそこでことばは、どのように人に読まれ、書かれるなかで、生きられているか。

そういうことを考えていこう。

3　文芸批評と批評の酵母

文芸批評の歴史

批評というものを、これまでとはもうまったく違う形で、考えてみる。そう考えてもよいのではないかと、これまでの批評の流れというものを調べてみると、思えてくる。

これまで批評ということばの根もとにあったのは文芸批評である。しかし、批評と文芸批評、評論のあいだの関係が、はっきりとは考えられていなかった。

このことをうまく考えるために、先の例をひきつぎ、批評を一つの山だと考えてみる。この山は自意識をもっていて、どこまでも高く、孤高に、自分だけで独立した価値をもとうとする。高くなろうとする。その一方で、この山は、社会の変化にともなって裾野を広げて、広いアクセスを許すものとなってきた。広くなってきた。

この高さへの意識が、批評ということばに宿っている。対して、広さへの感覚が、評論ということばを生きさせてきた。

しかし、そのいずれにもあるもの、それが批評だ。いま、批評は、批評と呼ばれたり、評論と呼ばれたりしているその分裂した姿のうちに、一番生き生きとした姿をとどめている。

さあ、そこまで考えておいて、少し勉強してみよう。

批評はまず文芸批評としてはじまった。

文学でいう批評とはどういうものか。

博覧強記で知られた批評家の篠田一士が、こう書いている。

> 批評の歴史は文学とともに古い。すぐれた文学作品を読んで感動したひとは、必ずその感動を表現しようと欲する。ここに批評の根源がある。
>
> （「批評」『新潮世界文学小辞典』一九六六年）

筆者は、この批評の定義に賛成である。何かを読む。面白い。するとそれを人に伝えたくなるというのは、よくわかる。シンプルだが、誰にもいえる。時代も関係ない。根源的だ。本居宣長も人はなぜ歌を詠むのか、ということでこれと似たことをいっている（『石上《いそのかみの》私淑言《ささめごと》』）。さて、文章は続く。

　感動を表現するためには、まずそれがどうして生じたのかということを明らかにしなければならない。当面の作品のなかにどのような仕組みが行なわれているかということをまず調べることが必要になるであろうし、また、その仕組みに反応する読者自身の心の内面のありようがどうなっているかということも調べなければならないのである。（同前）

話は少し専門的になる。しかし、文芸批評ということでいうなら、これも、こういうほかないということがいわれている。読む。面白い。なぜだろう。そう考えが進めば、この作品のどういうところが、なぜ面白かったのか、と作品のほうに目がいく。他方、それをどんなふうに自分は面白がったのだろう、自分の受けとった感動ってどんな感じだったんだろう、と受けとるなら、関心は今度は自分の感動のほうに向かう。感動の原因と結果。感動というものが手で触れられないものだから、そのブラックボックスに空いた穴に、原因と結果、入口と出口の両方から、手を突っ込んでみるのだ。日本での近代批評の確立者小林秀雄も、デビュー作のなかでこういっている。（以下、歴史的かな遣いは現代かな遣いに改める。近代以降の文章も同じ扱い。）

> 人は芸術というものを対象化して眺める時、或る表象の喚起するある感動として考えるか、或る感動を喚起するある表象として考えるか二途しかない。ここに恐らくあらゆる学術中の月たらず、美学というものが、少くとも芸術家にとっては無用の長物である所以がある。（「様々なる意匠」『小林秀雄全集』第一巻、新潮社、二〇〇二年）

言い方はややひねくれているけれども、いわれていることは同じ。読者はこういうところで、同じことをいうのにさまざまな言い方があるなあ、と見ておいていただきたい。先に普遍的なことを心もとない言い方でいうのが批評だといったが、心もとない言い方にもいろいろある。しかも言い方が変わると、その同じことの意味合いも微妙に異なる。批評はその微妙な色合いの違いを、出そうとする。感動する人が、そうなんだ、いや、そこ、こうなんだー、と何とかそれをいおうと、苦労するのと同じ。素っ気なくいう人、仰々しくいう人、逆説的にいう人。するといわれていることが、要約すると似たようなことなのに、それでも、カーブ、落ちる球、剛速球、それぞれ違った球筋で、バッターボックスの方向に投げ込まれてくる。

アリストテレスとヒマラヤ越え

ではその後文芸批評は、どう変わるか。時代が変わるとその重心も変わる。篠田のことばは一九六六年に出た辞典のものだが、約二十年後、一九八五年に出た事典だと、こうもいわれるようになる。書き手は、これも頭脳明晰な清水徹である。

文芸批評を文学作品の意味を云々する上位の言語だと考えると、アリストテレスの『詩学』も日本中世における歌合わせの判詞も文芸批評だということになる。しかしいま文芸批評と呼ばれているものが、いつどのようにはじまったのかという問題が、これだと抜け落ちる。文芸批評は文学作品の判定基準という意味は変わらないとしても、その基準が多元化してくると、その独自性が徐々に知られてくるからだ。

さて、ここで筆者の余談。ドナルド・キーンさんがどこかで書いていたが、数十年前、日本で仕事をはじめたころ、彼が日本文学のことで何か発言すると、あー、なるほど外人さんはこう考えるのか面白い、と受けとめられた。外人さんがこういっているのではなく個人ドナルド・キーンがこういっているのだが、そうは認められなかった。彼が自分の発言を彼個人の意見として受け入れられるようになるのは、サイデンステッカーとかさまざまな外国人の日本文学者が輩出するようになって、それぞれの外国人日本文学者相互の意見の違い、多元性が知られるようになってからのこと。同じような時代が文芸批評にもあったのである。

さて、そのことと並行してやがて文学作品にも文芸批評にも独自の読者層が生まれてくる。このことが次のポイント。だいたい十八世紀の末から十九世紀にかけて「詩や小説など文学的産出物の総体を一つの独立した観念としてとらえる」新しい傾向が生まれてくる。そして「文学」というコトバが生まれる。ギリシャ・ローマ時代には「歴史」「哲学」「雄弁」「詩」はあったけれども、「文学」はなかった。当然、「文学批評」もなかった(清水徹「文芸批評」『世界大百科事典』平凡社、一九八五年)。

ちなみにいま、リテラチャーという英語を辞書で見ると、

1　文学
2　著述
3　文献・論文
4　印刷物・情報

とある。この辞書に出てくる順序で、(4から1へと)意味が新しくなるのである。

結論。

批評ということばは二つの姿で生きている。

人々は批評をいろんなもののなかに見出す。それは時間軸をさかのぼるとアリストテレスの昔までいく。また、空間軸をたどるなら、山菜のタラの芽狩り、あるいはエヴェレスト越えのある種のツルから学ぶ大学受験への示唆まで、いくかもしれない。

タラの芽狩りでは、二度まではタラの芽をもいでもよい。でも三度目に生えてきた芽をもぐと、そのタラの芽は死ぬでー、と筆者は達人に注意されたことがある。またあるとき、エヴェレストへの女性の初の登攀者である人(今井通子さん)がこんなことを話す場に居合わせたことがある。ヒマラヤの高峰をネパールからインドへと渡るある種のツルは、うまく上昇気流が起こる時刻を何日も待って、そういうチャンスに上昇気流に乗り、何百羽いっせいに数千メートルを上昇してヒマラヤ越えを行うらしい。リーダーがいて絶妙の頃合いを見てとる。しかし観察していると一度で成功するということは少なくてもう一息というところで失敗して何度か試みる。しかし、同じ尾根では二回まではかチャレンジしない。二回ともダメだと、尾根を変える。今井さんはこの自然観察から大学受験は一浪までが一番可能性が高いかもしれないといった。面白いなー、と筆者は思った。一、二、三、あとは多数、という数え方の文化がある。これは三と四以上のあいだに深淵がある文化である。でも二という数字と三という数字のあいだにも深淵がある。いま考えると、尾根の高さの困難度とも、関係があるのかもしれない。

そして、これとは別に、時間軸にのびる批評というものがある。それは、そう呼ばれてそこにある文学の一ジャンルである。そしてそこにはそれに固有の問題があり、批評はそこでも、それこそエヴェレストの高峰の尾根の高みを、生きている。

アリストテレスからサント・ブーブへ

さて、もう少し先に進もう。

篠田によると、こんなふうにはじまった最初の西洋における批評は、衆目の一致するところ、紀元前四世紀のアリストテレスの『詩学』である。アリストテレスは、ギリシャ悲劇を見ておぼえる感動の本質を「カタルシス」だという。「カタルシス」とは腸カタルのカタルと同じ語源で、浄化・排泄という意味である。古代ギリシャでは、悪い血を体外に出す瀉血という療法があり、これがカタルシスと呼ばれた。一言でいうと、悲劇を見て涙を流したり恐怖を味わったりして心のなかの「しこり」が浄化される。悲劇がもたらす感動とはパトス(苦しみの感情)の浄化であると、アリストテレスは考えたのだ。

その後、ローマ時代になると、ホラーティウスの詩論、ロンギーノスの修辞学。そこからアウグスティヌス、トマス・アクィナスの中世のスコラ哲学をへて、ルネサンス期になり、ヨーロッパ各国の俗語による文学の興隆とともに古典詩学の正統性と自国語文学の連関ということに批評の焦点が移っていく。このあたり、見ていて思うのは、何より、昔は、印刷術もそれほど発展していなかった、紙も貴重品だったということだ。劇、詩、物語、あるいは哲学、神学といったものが書き言葉の世界の主流で、いきおい、批評というものは、それら第一次的な制作品とその受容者をつなぐ媒介者の位置にあった、あるいはそれ自身が、哲学の一部だった。書物の数が少ない。まずは第一次産品のために貴重な紙は使おう、というので、批評、注釈のたぐいは、まだまだ、脇役だったのである。

しかし、グーテンベルクの印刷術が広まり、産業構造も変わってくると、本がたくさん生まれ、紙も容易に手にはいるようになり、何より、ラテン語の学者世界の外側に膨大な読者の層のひろがり(公共圏、世間、市民社会 civil society)が形成されてくる。劇でいえば、観客の層。メディアでいえば、書物、雑誌、後には新聞の読者層。篠田の記述を参考にすれば、イギリスではシェイクスピアなどのエリザベス朝劇文学が盛んになると、これをギリシャ・ローマの古典古代との関連のうちに独自のものとして正当に評価しようとする批評作品の開花などがあり、ドイツ、フランスでも、批評は次第に大きな存在となる。これはまあ、わかりやすい展開である。

前出の清水徹の記述でも、この後、十九世紀に「文学作品の多量の生産と消費」がはじまると、「それと並行する新聞・雑誌ジャーナリズムの伸長」が見られて「公衆」を相手にした「批評家」「時評家」が多く生まれてくる。そして、とうとう、一八三〇年代、フランスにサント・ブーブが現れ、批評を、それ自身として独立した文学ジャンルに確立する。

批評がそれ自体として独立した文学ジャンルになるとは、サント・ブーブに専門家以外に彼の追っかけの読者が生まれるようになってくるということである。サント・ブーブは、「月曜閑談」と題しておよそ二十年間、毎週月曜日に新聞に同時代の文学の話、人物月旦を書き続け、文学作品を作者との関係で説明する仕方を開発した。それで文学への興味が人間への興味と合体して、文学批評の幅が広まった。むろんその方法は、作品の意味を作者の心持ちや生まれ育ちや意図のほうから見ていく仕方へと育つにいたって、文学作品それ自体をないがしろにした考え方だと批判されるようになる。二十世紀になれば若いプルーストが『サント・ブーブに反対して』という評論を書くだろう。しかし、サント・ブーブの時点では、これは偉大な達成だった。批評がはじめて誰が読んでも面白いものに、作り上げられた。人を見る目、文学作品を見る目から、多くの考えることの楽しみを受けとることができると人々は思うようになってくるのである。

そこから、フランスでいうなら、芸術批評の書き手でもあったボードレール、そして批評の純粋化の権化ともいうべきポール・ヴァレリーの登場までは、もうすぐである。ボードレール以降の象徴派の文学運動と並行して、イギリスのペイター、アーサー・シモンズ、ドイツのホーフマンスタールなどがそれぞれに画期的な批評活動を行う。つまりいったん裾野のひろがりを確保すると、批評は今度は自意識をもちはじめ、高く孤高に、誰をも寄せつけない考えることの身体の強化をめざすようになり、その難しさで、人をひきよせはじめるのである。そして、そのあたりで確立した近代の批評のあり方が、やがて自然主義文学運動、白樺派などをへて、正宗白鳥らの批評の書き手を生みだし、小林秀雄による本格的な日本での近代批評の実現へとつながってくる。

批評と評論

とまあ、このあたりが、世界の文学のほうから見た批評の大きな流れである。

しかし、そうだとしたら次のことがわかる。

一つは、批評とは文学作品の批評というところからはじまったということだ。文学作品——悲劇、詩、物語——のなかにナゾがあると感じられたのだろう。どんなに考えても、尽くせないナゾ。ある劇を見て心動かされた。ある詩を読んで泣いてしまった。何だろう？　わからない。それでいろんな人がいろんなことを考える。すぐには答えが出ない。その一方で文学作品は人の心を動かすことをやめない。その落差、それが批評が文学批評という形ではじまった理由なのだろうと思う。そのことと、当時「文学」という概念があったかどうかは関係がない。むしろ「作品」というものができると、「感動」が生まれ、「感動」は人にいろいろ考えることを促す、という流れが「批評」を生むのだ。まあ、古代ギリシャの当時、パピルスの冊子体様の書物というものが世に出回りはじめ、ことばで書かれたもの、文学が最大のメディアにのしあがった、ということもある。しかし、時代がくだり、いわゆる市民社会の成立が見られるようになると、人々が関心をもって話し合う素材、主題、問題、また人々の関心をひいてやまないすぐには解けないナゾのたぐいが、文学からもっともっと広範なことがらに広まってくる。学問も大学や専門家の世界から外に出て社会一般の人士のものになる。メディアも新聞、雑誌、書物と多様になる。やがて、二十世紀となれば、ラジオ、映画、テレビ、そしてインターネットがそれに加わる。

ああ、そうか、批評と評論。

批評家には自分のことを評論家と呼ばれるのがイヤだという人もいるが、いまや批評とほぼ同じ意味で使われるこの評論ということばは、近代以降のこの文学批評からもっと広い意味での言論活動をさすものとして生まれてきた、新しいことばなのだ。つまり、第二。批評と評論は二つして批評の側面を体現している。だから評論が批評を水で薄めたものだなんていう理解は、間違っている。いまや批評には、文学批評という狭義の批評のほかに、評論という広義の批評があり、さらに、もっと広くいえば、近代になって成立した市民社会を基礎に生まれることになった言論活動一般、それを含めて、批評が存在している、そう考えるべきなのである。

するると、第三に、こういうことにはならないか。そうだとしたら、もう、いままでは、批評は、かたや精緻に、文学理論、批評理論の道を上昇していく一方、ひろがりとしては、さまざまな古今東西の文学作品、小説、劇、詩、あるいは各種古典籍の訓詁注釈というこれまでのいわゆる文学批評を原型とするあり方から、もうずっと早く、ずっと根もとのところで、離脱してしまっている。そのことに気づかなかったから、批評と評論というと、何だか評論のほうが俗っぽいみたいな理解が批評のなかにまかり通ってきたのだ。

しかし、その離脱、独立には、歴史的にはっきりした根拠がある。批評がサント・ブーブにいたって評論のひろがりを身につけ、独立した読者をもつジャンルになった。そしたら自意識が生まれて、読者を拒む高みをめざす批評が出現し、以後批評が、批評と評論の二本立てになった、というのがことの真相なのだろう、からである。

批評は広くなった

さて、そう思って世の中を見回すと、いままでは書かれたものの中心を占め、かつ人々の関心の中心を占めているのは、もはや文学作品だけではない。

第一に、社会の成り立ちが近代に入ってからこの方、百五十年くらいのあいだにすっかりかわってしまった。特にここ四十年くらいはメディアの革新がめざましく、書き言葉のなかで、文学の占める割合が、だいぶ減少した。これは、現在の大きな書店における文学の占有面積を考えればすぐにわかる。スポーツ、政治、経済、社会科学、旅行、教育、車や趣味、人はいまやさまざまなことに頭をなやませ、いろいろなものに楽しみを見出す。またそのことが、ことばで伝達され、一つの広場を構成するようになっている。

第二に、芸術のなかで昔の御三家、文学・演劇、音楽、美術の占める割合が、だいぶ減少した。いまでは、映画、漫画、コンピュータ・ゲーム、さらに身体的パフォーマンスと、これらを異種混合した新しいメディアが生まれ、新しい戦慄と感動を作り出しつつある。

第三に、いまの世の中を生きるさまざまな楽しみ、歓び、さらに苦しみが、文学、芸術からはみ出る形で、にゅるにゅるとその外に現れるようになった。ファッション、広告、犯罪、戦争、そういったもの。経済、政治、自然科学、そういったもの。そして、これらのことが、共通の話題となり、共通の関心、共通の問題になり、言論活動を構成しているのだ。

そういう世界をわれわれは生きているので、その日々の生きる体験のなかで考えることと、ある芸術作品について語られることとが、ことばになってみると、ことばで出来た思考の身体として、見分けがつかなくなってきたのである。

批評というものはある。それは動かない。しかし、それ以外のところで、批評として
など書かれたり話されたりしていないもののなかにも、批評というものが見出される、
またそういうものから新しい批評が生まれる、ということが起こるようになった。

これら広義の意味での批評、というより視線変更によって新しくとらえられた批評を、批評とは何か、ということのうちで、考えるのがよい。

それは、いってみれば書くから読むへの、専門家から一般公衆への、視線の変更である。この視線変更は、これまでの狭義の批評、書く批評になにごとかの反省をつきつけずにおかない。批評というものが、どれほど、ふつう人が生活をしている経験と深く結びついているものかを、人々に教える。

そんなふうに、批評をもっと広く、ことば一般に浸透しているある要素、酵母として考えてみることが、必要なのではないか。

4　原型としての『徒然草』

風に気づく

ここまできて、狭い部屋から広い世間に出るような気がする。なるほど、そう考えれば、批評というものはどこにもある。あることばを読んで、面白いと感じること。それ

はそのことばのなかに酵母のように存在している批評の素に感応することなのだ。

そう考えてみよう。

すると、浮かんでくるのは、『徒然草』である。

批評といったら、まず小林秀雄、それにポール・ヴァレリー。二人ともに、批評の自意識の権化といったふうがある。ともに、考える、ということに憑かれた人たちだ。

しかし、酵母としての批評というようにいったん考え方をずらすと、批評もずいぶんとおだやかな表情を見せるようになる。やってくるのは、『徒然草』の卜部兼好、そして『エセー』のモンテーニュ。

そういえば、あるころから、筆者はどういうわけか、この『徒然草』が好きになり、よく読むようになった。はじめは受験用の問題などを作るのに古典といわれる文献をいろいろと読みあさるついでに読んでいたのだが、気がついたらいつのまにか、これを座右にとどめていた。ときどき、ぱらぱらとめくるのが楽しくなったのである。

最近の批評の本のたぐいは、読んでいるとつかれる。そのつかれには、ある単調なものにつきあわされる苛立ちが入っている。近年の書き物は、概して、日本のものも、欧米のものも、著者が考えていることの幅が決まっている、そう感じられるものが多い。読んで余り窓が開かれない。でも『徒然草』は、違う。読んでいると窓が開いており、遠くから風が吹いてきているのに、気づかされる。

批評の酵母としての『徒然草』

小林秀雄も『徒然草』のことは口をきわめて褒めている。批評の精髄だ、みたいなことをいっている。ヴァレリーがモンテーニュについてどういっているかは知らない。でも、そう悪いことはいっていないだろう。近代の批評家と呼ばれる人たちと、近代以前、近世、中世の、批評というよりはもっと広いという意味でのエッセイを書いた人とのあいだに、対立といったものはない。しかし、幅の広さで違いがある。

前にいったような意味で、兼好とかモンテーニュのほうが、誰もがアクセスでき、しかも広いし、自由なのだ。

むろん、近代になって、なぜ小林とかヴァレリーといった人たちが、自意識過剰な世界のなかで考えることの偉大と悲惨を究極まできわめなければならなかったかには、それなりの理由がある。それについても、後で考える。しかし、先に述べたようにもっと広く、自由に批評のことを考えようとすると、『徒然草』には、どういうところに人がものを考えることの面白さ、深さ(?)、気持よさを感じるのか、ということに関する、みごとな見本帖といったところがある。自分で、読んで面白いなと思う、でもなぜだろうと考えてみると、わからない。そんな断片が、けっこう多いのだ。(以下『徒然草』等古典文献は筆者が勝手に自分のことばで改める。)

たとえば、

ある人が法然上人に「念仏を唱えていると眠くなって続けられなくなるのですがどうすればよいでしょう」と聞いたところ、「眠くなるまで念仏したらどうですか」と答えがあった。

「往生というのは、できると思えばできるし、できないと思えばできない、そういうもの」ともいわれた。

「疑いながら念仏するのでもいいのです。それで往生できる」ともいわれた、とある。

なかなかに、興味深い。（第三十九段）

こういうものは、へえー、法然ってやっぱりただ者じゃなかったんだなあ、と面白いし、心に残る。その理由も判然としている。だが、たとえば、

性空上人は『法華経』読みの功徳が重なり、特別の能力にめぐまれた。あるとき旅で宿に入ると、豆の殻を焚いた上でブツブツと豆が煮えている。その音が、「縁がないわけでないキサマ等がうらめしくもオレを煮て、ひどい目を合わせやがる」と

豆の声に聞こえた。焚かれてはぜる豆殻のバラバラいう音のほうは、「オレ等がわざとしていると思ってか。焼かれるのも耐え難い苦しみ。しかしいかんともしがたい。恨みなさんな」と応えていたという。

(第六十九段)

こんな話などになると、面白いが、どこを自分は面白がっているのだろう、と反省させられる。面白さが広く薄まってほとんど水と同じように感じられる。薄まって広まり、でも強度は少しも減っていない。不思議な水。批評というか、ものを考えること、ものを考える現場に接することの、応接間の広さというようなものを痛感させられるのだ。

『徒然草』には、それこそ

メナモミという草。マムシに嚙まれた人はこの草を揉んでつけるとたちまち快癒すると。知っておくべし。

(第九十六段)

というだけの備忘のような断章、「一言芳談」の読書メモとも見える断章(第九十八段、後出)など、さまざまなものがある。そしてそのそれぞれが、それぞれに、読む人を立ちどまらせる。

この本の考える批評の原型は、『徒然草』である。

原型としての『徒然草』について、筆者の考えをざっと述べておきたい。

記録がないこと

『徒然草』を書いた兼好法師という人は、俗名卜部兼好。読みはカネヨシ、出家後の法名を、そのまま読みだけかえてケンコウと称する。吉田兼好と呼ばれるのは、この卜部家が室町時代に吉田神道を興し、吉田と改称したことによるので、間違い。だいたい、蒙古襲来の後のころ(一二八三年ころ)に生まれ、後醍醐天皇による建武の中興(一三三四年)をはさんで南北朝動乱の中期にあたる一三五〇年代前半に七十歳前後で没した。卜部氏は祖父の代から宮中の神事に奉仕するとともに事務官僚をも務める家系。祖父は右京大夫兼名、父は治部少輔兼顕、兄弟に民部大輔従五位下となった兼雄と大僧正慈遍がいる。二度ほど関東はいまの横浜市の南部に位置する金沢文庫付近にきているが、これを除くと、ほぼ生涯にわたり、京都に住んだ。

兼好自身は、後二条天皇の御代(一三〇一―一三〇八年)のころ、朝廷に仕え、蔵人から左兵衛佐に至っている。歌をよくし、有職故実の知識を吸収し、和・漢・仏にわたる広い教養を積んだ。恋愛の経験もあったらしい。結婚はせず、子供も作らず、だいたい、三十歳のころには「兼好御房」と呼ばれる遁世者になっている。そういうことが大徳寺の文書から判明している。最初は修学院に身を置き、後には京都近郊の「小野の山里」

と呼ばれる地に土地を求め、そこに住んだ。

『徒然草』には、この「世を捨てること」に関するいくつかの断章も残っている。「子供を作らないこと」についても面白い、心に残る断章がある。

一つ、この本の趣旨からいって、興味深いことがある。それは、同時代人の証言のなかに、この『徒然草』の書き手としての兼好について語られたものが皆無だということである。兼好は遁世者となって生涯の大半を京都に過ごし、歌人として知られた。大徳寺統の歌道師範二条為世に師事し、頓阿、浄弁、慶運とともに二条派の和歌四天王と称された。その歌も兼好法師の名で同時代の勅撰歌集に多数入集しているほか、六十代には自分で家集『兼好法師家集』一巻も編んでいる。頓阿などとの歌のやりとりも双方の家集に出てくる。二条良基とか今川了俊といった同時代の歌詠みの、歌人兼好の横顔について書いた文章もある。しかし、そのどこにも、兼好が、なにやらほかに散文を書いていたというようなことは出てこないのだ。

「現在知られる限りでは、この作品が兼好の手になるものであると言った最初の人は、兼好から見れば孫ぐらいの世代に当たる室町時代の歌僧正徹であった」と、国文学者の久保田淳は書く(「徒然草、その作者と時代」、新日本古典文学大系『方丈記・徒然草』岩波書店、一九八九年)。

『徒然草』は、生前、本として刊行された形跡がないのである。

当時、そういうものが珍しくなかったため、このことはあまり注意されていないが、たまたま本にする計画がなかったというのと、意識的に本にしようとしなかったというのでは、だいぶ違う。もし兼好が意識的にこれを本にしようとはしなかったのだとしたら、どうか。自分が死んだらすべて燃やしてくれと友人のマックス・ブロートに遺言して膨大な原稿を残して死んだカフカの生前未発表の長編群のように、あるいは、宮沢賢治がとうとう生前発表しなかった『銀河鉄道の夜』のように、あるいはもともと本などにしようとは考えないままに禁欲的にメモを書き続けたパスカルの『パンセ』のように、どのような理由からか、この『徒然草』も、兼好が死んだ後、世に現れたため、このような形の本となっているのだとしたら、どうなのだろう。だとしたらそれは批評の酵母ということについて、原型的な像を、提供するのではないか。

部屋になった書き物

そもそも随筆(エッセイ)と呼ばれるものが何なのか。

杉本秀太郎が書いている。

何事にもあれ、とにかく書きとめておく。自分だけの備忘、身辺の人のためをかんがえての心覚え、いずれにしても、のちの日に役立つこともあろうかと、字を書きつらねた帳面あるいは手近の紙きれを後生大事にしまっておく。随筆というものの基本は、そういうところにある。元来が筆まかせなのだから、箇条書きであってもよし、名辞だけを羅列しておくもよし、また、くどくどと忠告、注文、苦言のたぐいをしるしておいてもよし。そんなふうな心覚えにまじって、人が日記にむかってするように自分を相手に日頃の思いを書きとめたというふうな文章が挟まったところで、だれの咎めを蒙るいわれもない。本を読んでいて同感できるところ、異見のあるところに出会えば、それもまた抜書きにして、ときどき読み返すのに役立てる。人からの消息文に対する返事の下書きも、こういう書溜めの文反故《ふみほご》のなかにまぎれていることがある。そして、かような文反故をいくぶんなりとも整理し、書きあためることもして綴じ込みを作ったとすれば、それは一巻の随筆集というものである。

（『徒然草』岩波書店、一九八七年）

『徒然草』のひろがりとしての批評という佇まいは、この批評のことばの断片の集まりが、こんなふうにしてできあがっているのではないかという、夢想を誘う。これを引く杉本自身、その信憑性には留保すべきことを述べているのだが、筆者にもっともしっくりくる『徒然草』の成り立ちに関するエピソードを、さる室町時代の歌人が、その著作に残している。

杉本から孫引きすると、

『徒然草』は、兼好の没後に、兼好の弟子の命松丸《みょうまつまる》という歌よみと今川了俊が、かつて兼好の住していた吉田感神院の壁に貼られていた反故および写経の裏に書きつけられていたものを集め揃えて草子二冊としたということが、室町時代の歌人、三条西実枝《さねき》(一五一一—一五七九)の『崑玉集《こんぎょくしゅう》』なるものにしるされているそうである。「つれづれ草」という書名もまた了俊のあたえるところだという。 (同前)

兼好が七十歳前後で没したとしよう。するとそのころ、足利二代三代に仕えた武将でかつ冷泉家の歌風に立つ歌よみとして知られた今川了俊は三十代。命松丸のことはその今川の歌書『落書露顕』にこう出ている。「二条家の門弟兼好法師が弟子命松丸とて童形の侍りしかば、歌読みにて侍りしが、出家ののちに、愚老がもとに扶持したりしが」。

さて、ある日、この二人が主の没した家を訪れる。

誰もいない。部屋の壁に貼られていた反古がはがれかかり、また机の上に残された写経が開けられた戸口から吹く風にめくられる。おや、裏に何か書きつけられているみたいだぞ。

彼らはふすまを外す。それを丁寧にはがす、また写経の紙片を集める。もし、それを集積したものが、『徒然草』になったのだとしたら――。そうだとしたら、ここには先に述べた、ことばで出来た思考の身体としての批評というものの、ふつうわれわれが理解しているものの対極の像が、屹立している、ことになるのではないだろうか。

断片のいぶき

杉本はそもそも『徒然草』が二百四十三段に分かれていたのではなかったことにも、注意を向けている。それは、江戸時代の、北村季吟による『徒然草文段抄』というものからはじまったことだ。前出の新日本古典文学大系に冒頭部分の写真版が載っているが、それを見ても現存最古の書写テクストである先の正徹本『徒然草』は、ただ断片が次から次へと続いていくことばの集積である。

そう思って読んでみよう。

こんな過去のできごとの記録がある。

雪がいい感じでふった日の朝、用件があり文を送ったが、雪のことにふれなかった。その返事に、「この雪はどうですかと聞いても下さらないような野暮天の人の頼みごとなんて聞いてあげたくもありませんね。かえすがえすもダメな人」とあったのに、まいった。

もう死んでしまった。それで忘れられないのか。

（第三十一段）

読書メモもある。

聖人の言行を書き残して「一言芳談」とか名付けた冊子を読んだ。そのときなるほどと思った個所。

一、しようかすまいかと迷ったときは、だいたいはしないのがよい。

一、来世を思う人は糂汰瓶一つももたないこと。お経、仏像にいたるまでよき物をもってよきことはない。皆無。

一、遁世者は物がなくても困らないように生活するのが一番である。

一、達人は初心者になり、卓越の僧は愚僧になり、富める者は貧者になり、有能な人は無能者になること。

一、仏道を願うというのは、そんなに大仰なことじゃない、暇ある身になってかつ世の中のことを考えない、これが第一。

ほかにもあったが忘れた。

（第九十八段）

この批評の酵母は感染伝播するらしい。杉本は第九段に出てくる鹿笛というものについての林羅山以来のさまざまな注釈をいろいろあげつらった後、この笛がヒキガエルの皮をはいで作ることにふれて、面白いので、とある短文を「序で」に引用している。大正十五年にでた早川孝太郎の『三州横山話』より。それがやっぱり面白い。もはや『徒然草』に無関係の文というべきだが、杉本の備忘に筆者もあやかろう。「序で」に孫引きすると、

猟師が持つ鹿笛を造るのについて、こんな話があります。それは蟇の皮が最もいいと云って、まず最初になるべく大きな蟇を見つけて、その皮を剥いで逃がしてやると云います。そして一年経ってから、また同じ蟇を見出して二度目の皮を剝ぐと云います。かくして皮を剝ぎ剝ぎ、同じことを六年繰り返して、七年目に出来た薄い皮を剝いで、その皮で造った鹿笛を吹けば、如何に狡猾な鹿でも、その音に誘われて来ると謂います。皮を剝がれる蟇の方でも心得たもので、皮を剝がれ出して、三年目頃からは、皮を剝がれるべく、剝がれた場所へ、自分から出かけて待っているなど謂います。

(早川孝太郎「鹿笛」『三州横山話』、前掲『徒然草』)

いろいろと続く上下巻の最後に、こんな断片がおかれているのは、誰の意図なのか。兼好か、それとも後世の人間か。いずれにしても、かわいい。深遠でないのがいい。

八歳になった年に父に尋ねた、「仏さまってどういうもの?」と。父は答えた、「人がなるのさ」と。それでまた尋ねた、「どうすれば人は仏さまになるの?」。父は答えて、「仏さまから教えを受けてさ」。それでまた尋ねた、「その仏さまには何が教えるの?」。父は答えて、「それはその先にまた仏さまがいるのさ」。また尋ねて、「その教えを授ける第一番目の仏さまはどんな仏さまなんだろう?」。父が、「空からふってきたのかね、それとも土から湧いて出てきたのか」、そして笑った。後で、「問いつめられてとうとう答えられませんでしたな」と客に話しては面白がっていたのを、おぼえている。

(第二百四十三段)

Ⅱ　批評の酵母はどこにもある

批評とは、ものを考えることがことばになったものだ。

なぜ、そういうものが読むと、面白いのかと考えてみる。ものを考えるということのなかにその面白さはある。しかし、そのものを考えるという行為は、ことばになってしか人の前に現れない。たとえば、正直さ。率直さ。ことばを書いていても、話していても、正直であることは難しい。人のあいだにあって、自分の考えに正直であることも難しいし、自分の考えごとのなかで、正直に考え進めることも難しい。そのことをわれわれはよく知っている。だから、正直なやりとり、正確な言い方、ウソのないことばに出会うと、愉快に感じる。いいな、と思う。

1 対談

正直さ

対談の面白さの一つが、正直というか、ぶっきらぼうなものの言い方からくるのも、そのためなのだろう。

たとえば、一九六〇年代後半の三島由紀夫のことば。三島は一九七〇年の十一月二十五日に自決するが、一九六五年、最後の小説『豊饒の海』の連載を開始したころから、この小説を完成した暁には死ぬ、ということもありうると心ひそかに考えていたようだ。この人はもともと率直なものいいをするが、このあたりから、その対談でのことばに人間の素直さ、正直さ、その最後に考えていた核心といったあたりが、露わになってくる。

これは、一九六七年、彼が永年親しんできた年上の批評家中村光夫と五カ月間に四回行った、一連の対談での冒頭のやりとり。

中村　こういう機会を与えてもらったことは嬉しいな。
三島　そうですね。ひとつ四つに組んで話しましょう。
中村　三島さんの文学は、いままで日本にあるのとは異質なところがあると思う。

三島　うん。

中村　そういうところから、お互いに文学に志した動機というようなものから話していったらどうだろう。

三島　それもいいですね。――ただ、ぼくはそういうことをきかれたら必ず嘘をつくということが自分でわかっている。

中村　どうもそうのようだね。

三島　というのは、二十年前あるいは十年前に同じ質問をされたとしたら、それぞれ答えがちがうと思うんだ。

中村　それはちがうでしょう。

三島　動機は一つしかないが、見方がちがう。文学というのはそういうものじゃないかしら。

中村　文学に限らず、何でもそうだろうけど。

三島　いまならはっきり言えることでも、そのときは文学しか逃げ場がないから文学をはじめたというよりほか言いようがない。

中村　そういうことだね。

三島　ほんとうはぼくのやりたいことは文学でなくてもいいんだという根本的なことがいえたとしても、それが又嘘かもしれないしね。

（『対談・人間と文学』講談社、一九六八年）


このうちの「ぼくはそういうことをきかれたら必ず嘘をつく」「それが又嘘かもしれない」といったあたりには、読んでいてつい引きこまれるような、率直さがある。

この対談は、雑誌に発表されずに、五回のやりとりをまとめ、次の年に一冊の本の形で出版されている。どんな事情から、どちらが言い出しっぺになって実現したのかはわからないが、いずれ、中村は三島がただならぬ正直さと意気込みでこの対談に臨んでいることを一種の風圧として、巻頭、対話をはじめてすぐ、感じただろう。

むろん対談というのは話した内容をことばにする段階でまず速記者の採録ないしまとめがあり、つぎに編集部のまとめ、その後対談者自身の校正と続き、ずいぶんと手が入る。でも、そういう気合いが誰の目にも明らかなとき、それは動かない。誰にも手をつけさせない。最後まで、消えないものなのだ。

三島は後のほうで、こんなこともいっている。

三島　ぼくは「葉隠」の、犬死をしなければいけないというあの考えがとても好きなんだ。
中村　それは英雄だよ。ちがうかな。

三島　つまり人間は何か行動するにつけても、勲を立てようとか、功績をあげようとか、偉くなろうとかいう行動はみな空しい、いつでも犬死できるということだけだといっている、あれが一番好きだ。（中略）犬死を覚悟すればこわいものはない。

中村　何もこわいものがなくなる必要はないけどね。

三島　いちばん嫌いな考えは、手前の文学を大事にするとか手前の才能を大事にするという考え、大嫌いだな。

中村　やっぱり英雄の考えだ。

三島　そんな賤しい考えはないと思う。

中村　人間は賤しいんだよ。（中略）

三島　（中略）まあぼくは、年齢的にもそうかもしれないけど、自分の芸術が大事だというより、毎日毎日の問題ですね。これは骨身にしみこんだ問題です。ここで偉そうなことをいうでしょう。部屋へ帰って原稿を書きだす。そしてことばを選んで一行一行やるときに、そこは自分が賭けられているから、こんなバカなことは書けるものか、おれはそこらの文士とはちがうんだぞということでことばを選んでいる。そこには、ある意味で賤しいけれど、ある意味で自分の真剣なものが入っている。仕事をして夜が明ける。陽が照ってくる。そのときに、そういうゆうべの仕事で自分はたしかに五時間ぐらい才能を大事にしたでしょう。だけど、夜のそんな大事に

した自分の顔は見たくない。（同前）

うまくいうのは難しいが、こういうことばを読むと、何かギリギリ、正直なことがいわれているということだけがひしひしと感じられる。自分の才能とか文化遺産だとか、そういうものを大事にしようと思うことのなかには賤しさがある。大嫌いだ。法隆寺なんて焼けちゃえ。三島は坂口安吾みたいなこともここでいっている。それなのに、夜、原稿を書くと、一生懸命になってしまう。自分の才能を大事に扱う。そこには矛盾がある。自分でも矛盾だ、とても困る。でも矛盾にも考えないやつが、多すぎる。バカみたい。大嫌いだ。こういうことばは、聞いていて、心にとまる。せっぱつまったギリギリのところで、話されているのがわかる、というか、そう感じられる。ほんとうかどうか、ということが問題なのではない。そう感じられるかどうかが、問題なのだ。

「芝生と紅茶のある生活」がなぜいやか

対談を読んではじめてその人の感じが伝わってくる、ということもある。筆者の場合は、次の対談での、寺山修司の受け答えが、彼の書いたどんなものより、彼の興味深い一面を伝えてよこすようだった。

この対談での相手は哲学者の鶴見俊輔。鶴見に、サブカルチャー、劣位文化への志向はどのようなところから来るのかと尋ねられて。

寺山　体質とか生理だと思います。そう言ってしまっては身もふたもないのですが、つまりスクウェア(「四角な人たち」)の日常生活に耐えられないのですよ。芝生があって、コッカスパニエールがいて、新聞社の人が訪ねてきたり、ちょっとソファーでテレビを見ていると、郵便物がどっと届いて、紅茶を飲みながら郵便物の封を切ったりすることを、ちょっとのあいだしてみたこともあるのですが、やっぱり向いてないんですね。似合わないことをしているという気がすごくするのです。(中略)とにかく、マンションにいっぱい、田舎から出てきた若い人たちを泊めて、それが増えてきてしょうがないから芝居でもやろうということになった。

静岡に藤森安和という、畳屋をやっている詩人がいるんですよ。「十五歳の異常者」という詩を書いた人ですが、彼がたまたま静岡からぼくのところに遊びにきて、そのころぼくが病院から退院して、いちばんふつうの、陽の当たる生活をしていたころです。結婚して。藤森君がぼくのところで話をしながら、カフカなどわりに抽象的、観念的な話をしながら、ときどきパッと鼻汁をかんだ紙をわざと絨毯の上へ捨てたりする。つまり、彼は畳屋の職人だから鼻汁をかんだ紙をあたりに捨てるのはわざとではないのでしょうが、それでも作為を感じたのです。

鶴見　思想があったわけですね。
寺山　ぼくは、チラッチラッとそれを気にしている自分というのがとてもいやだった。それで藤森君が帰ったとき、しばらく憂鬱になっていた。女房は「ずいぶんきたないことをする人ね」といいながらかたづけたのですが、なにか、そうだなあと思いながら、ぼくも病院から退院して、生活保護を打ち切られ、バーテンダーをやっていたころ、ちょっとものわかりのいい大学の先生のところへ友だちと二、三人で行くと、奥さんが紅茶かなにか出してくれるときに、なんとなく腹立たしかったことを想い出して、それでまあ、女房を誘って競馬へ行くようになって、そのうちだんだんと崩れていったのですね。
　だから、藤森君がきて帰っていったということはぼくにはわりに大きな転機だったですね。藤森君はそんなことを憶えてないと思うけれども、それがいちばん大きな印象だったですね。（「読書論」『思想への望郷――寺山修司対談選』講談社文芸文庫）

　あなたはなぜアンダーグラウンド的な生活を志向するのか。こう聞かれて、「体質とか生理だと思います」と答える人は、特に詩人とか文学者には多い。詩人とか文学者の凡俗は、反俗という形をとることが多いから。しかし、このことを具体的に、自分がスクウェア（一般的なふつうの人）の生活の流儀が嫌いなのは、そういう生活をしてみたところ、誰かが来て、わざと鼻汁をかんだ紙を絨毯にちらした。「ぼくは、チラッチラッとそれを気にしている自分というのがとてもいやだった」。それでその友人が帰ると、「しばらく憂鬱になっていた」。そして、やがて、自分も貧乏だったころ、何かそういう「陽の当たる生活」が腹立たしかったことを想い出した。その後、「ずいぶんきたないことをする人ね」という奥さんを誘って、競馬に行くようになった、というように語る人は、希有であると思う。

なぜだろう。

どこにも、段差がない。この経路のどこでも寺山はいわば、清水の舞台から飛び降りていない。だいたい、へっ、一般人なんて、という人は、どこかでアバヨっと、こういう生活に反俗の詩人めいた挨拶をするものだが、彼は、そういうことでなしに、静かに坂をすべりおりて、いわば俗の生活から反俗の生活に移っている。坂を静かに降りついてそこから上をまぶしそうにふりかえっている。その風情。それがとても非凡だ。そこには柔軟な反社会性がある。

こういう批評性が底に沈んでいると思うと、寺山の「天井桟敷」の劇が、違ったふうに見えてくる。

啄木の夢想から

なぜ寺山は、一時は腹立たしい思いもした「陽の当たる生活」を、自分もまた一度、してみようと思ったのだろうか。筆者の連想はこうも動く。一九一一年、死の前年、貧窮のさなか、石川啄木が「家」と題するこんな詩を書いている。一部だけ引くと、いつのころからか、幾度となく、こんな家があればと思うことがあった、とあり、

場所は、鉄道に遠からぬ、
心おきなき故郷の村のはづれに選びてむ。
西洋風の木造のさつぱりとしたひと構へ、
高からずとも、さてはまた何の飾りのなくとても、
広き階段とバルコンと明るき書斎……
げにさなり、すわり心地のよき椅子も。

数聯の後、

さて、その庭は広くして、草の繁るにまかせてむ。

夏ともなれば、夏の雨、おのがじしなる草の葉に
音立てて降るこころよさ。
またその隅にひともとの大樹を植ゑて、
白塗の木の腰掛を根に置かむ――
雨降らぬ日は其処に出て、
かの煙濃く、かをりよき埃及煙草ふかしつつ、
四五日おきに送り来る丸善よりの新刊の
本の頁を切りかけて、
食事の知らせあるまでをうつらうつらと過ごすべく、
また、ことごとにつぶらなる眼を見ひらきて聞きほるる
村の子供を集めては、いろいろの話聞かすべく……

寺山修司のことだから、当然、この詩のことは知っていただろう。啄木は、貧窮の生活のなかでときおり夢想した、こんな生活はむろんしないで、この世を去る。死の直前には社会主義にとても近づいた啄木のなかに、こういう小市民的な、典型的に舶来文化崇拝の原型にそった夢想が宿っていたことを、悲惨に感じる人もいるだろうか。啄木にしてなお、こんな小市民的な夢をもっていたかと慨嘆する人もいるだろうか。しかし、

寺山は、自分もその夢想を共有し、それを実行してみて、あるきっかけから、やはりそういうものは自分に合わないと感じた。

彼の「芝生があって、コッカスパニエールがいて、新聞社の人が訪ねてきたり、ちょっとソファーでテレビを見ていると、郵便物がどっと届いて、紅茶を飲みながら郵便物の封を切ったりする」という言い方から、そう感じる。こういった後に語られる、「だから、藤森君がきて帰っていったということはぼくにはわりに大きな転機だったですね」というふつうのことば遣いに、つねにことばを自分を作り上げるためにしか使わなかった詩や演劇や散文の寺山からはうかがい知れない、この人の柄の大きさが、よく現れている。

2 注

注記にたちどまる

対談というのでは、雑誌『ロッキング・オン』で一時代を画した編集長の音楽評論家渋谷陽一とコラムの文章の書き手として定評ある松村雄策との『渋松対談』も、逸しがたい。この対談の見所の一つは、渋谷と松村の二人の関係である。二人は一緒にほぼ何もない場所から一九七二年、この雑誌をはじめた。一人は編集長、一人は編集部の書き手。その後、松村はバンドをやり、編集部をやめ、この雑誌への定期寄稿者となる。この対談は雑誌の埋め草用に「苦しまぎれに企画され」たものが評判を呼び、恒例化され、ときどき中断を入れながら現在まで断続的につづいている。

そこでの二人のやりとりの例、

渋谷　渋松対談も久しぶりだな。

松村　半年ぶりぐらいかな。

渋谷　俺の場合、本文原稿も半年ぐらい書いてなかったから、感慨もひとしおですな。

松村　今月から原稿料を払うんで、対談復活させて、自分でも原稿を書き始めたって話もあるぜ。

渋谷　インタヴューのページも増えたんだ。原稿料いらないから、あれも。

松村　そうやって、渋谷ばっかし儲けてるって、みんな言ってるぜ。

渋谷　みんなって、誰だよ。

松村　ポリドールで、そう言ってた。渋谷はポルシェ乗ってんのに、(注5)松村はモノクロのテレビ見てるって、同情された。

渋谷　それは同情じゃなくて、馬鹿にされてんだぜ。

松村　カラー・テレビ欲しいな、音声多重の奴。
渋谷　一年後は、単行本で印税成金になってるよ、松村も。
（『定本　渋松対談』ロッキング・オン、二〇〇二年）

筆者には彼らのいうロック・ミュージッシャンの半分以上はわからない。三分の二以上は聞いたこともない。しかし、彼らの音楽談義は、聞くにたえる。読むにたえる。音楽とは関係ないところで、面白く読めるということではない。音楽が、ロックが、好きだということがどういうことか、自分の好きな音楽について、そうかよ、嘘だろー、と二人して言いあっているなかに、浮かびでてくるところが、素晴らしいのである。

しかし、ここでは注をひく。

この初期の対談は、好評につき、一九八六年にまとめられ、少部数頒布される。いまはその復刻版が出ていて、筆者がもっているのもその復刻版だが、当初の一九八六年版に注がついている。その注がオッと思わせるのだ。

先の話から数頁飛んで、
松村（一九八一年のロックでいうと――引用者）ニュー・ロマンティックとかフューチャリストとかが騒がれたのは、この頃じゃない？

渋谷　なんか、いろいろ話題になったみたいね。
松村　どうなわけ、あれは？
渋谷　今野雄二(注6)がほめるもんにロクなものがあった試しがない。　（同前）

さて、先の引用部分とここに、注5と注6、二個所、注記表示があるが、その注記は章末にこう記される。

注5「ポルシェに乗ってんのに」
渋谷陽一成功物語①明学在学中にロッキング・オンを創刊し、以来リヤカーに本を積み配本に回ったり、石を投げられながら広告とりに走ったりしていた為、彼には青春らしい青春はなかった。無論、車など買えるはずはない。父親から車の免許をとる為にもらった十五万も印刷代につぎ込んでしまい、彼が免許をとれたのは二十七歳のときであった。免許をとって最初に買った車はスカG。次がポルシェである。持ちなれない金を持った人間が買いそうな車といえるだろう。しかし彼のポルシェはアウディのエンジンを積んだ名ばかりのポルシェといわれるポルシェ924である。ここに彼の屈折したコンプレックスがある。本物のポルシェ911を持つ清志郎に会う度に馬鹿にされていた彼は、ついにBMWに替えてしまった。ス

カG、ポルシェ、BMWという車の買いかたには彼の暗い青春の反動がうかがえるようで、なかなか感慨深い。

注6「今野雄二」

渋谷陽一成功物語②NHKのDJ、ロッキング・オンの編集長という肩書きを持ちながら、彼は評論家としては長く暗い無名時代を過ごしている。デヴィッド・ボウイや10CCといったミュージシャンが全盛の頃、彼はそうしたグループのライナーを書きたかった。しかし彼のところに来るのはナチュラル・ガス(おなら)などというアホな新人グループのライナーばかりだった。そして当時、ボウイや10CCのライナーで『テレビを消して10CCを聞こう』とか訳のわかんない事を書いていたのが今野雄二である。以来、渋谷は今野に対し殺意に似た感情を抱き続けていた。

そんな事を知らないアホな今野は、ある時、渋谷のライナーに対し批判がましい事を書いた。それを渋谷が見逃がすはずはなく、第三者から見ると異常とも思える今野雄二批判を展開することになる。評論家としてもDJとしてもそれなりの評価を得た現在も、持てるメディアを全て動員しての今野雄二批判は彼の暗い無名評論家時代の反動がうかがえるようで感慨深い。(同前)

この対談は一九八二年に雑誌『ロッキング・オン』誌上に掲載されている。注記はこの対談を単行本にした一九八六年に松村雄策と渋谷陽一とによって分担執筆された。それぞれの注記は自分の発言部分に関するものを当人が書くというのではなく、対談全体について、単行本の前半は松村が、後半は渋谷が、担当している。

最初、ここを読んだときに筆者はこの辛辣な注記につい笑いながら、これは松村によるものかと思い、ひょっと注記末尾を見た。そしたら、渋谷だった。

この対談の見所を筆者は先に両者の関係にあると書いた。その関係は、ここで、もしこれを松村が書いたとしても、おかしいし、渋谷が書いたとしても、おかしい(その二つのおかしさは異なるが)、という希有な面白さとして、顔を出している、と筆者は考える。これが希有だというのは、ふつうなら、これを書いているのが松村である場合、揶揄されている渋谷のややこわばった顔が思い浮かぶため、おいおい、ちょっと辛辣すぎるんじゃないか、という感想になってしまい、はは、おかしい、とはここが読めないはずのところ、これがそうなっていないからである。

また、なぜ渋谷がここでこれだけ見事に、自分の「暗い」青春時代ないし無名評論家時代と呼ばれているものを戯画化できているのかという問題もある。これは、これまで渋谷が書いた自己を戯画化した文章のなかでも、おそらく最良のものの一つだろう。筆者の読みをいえば、なぜかくも人を感動させるまでの徹底した自己戯画化がここで渋谷に可能になっているのか。さらに、なぜこれほど徹底した自己戯画化を行っていても、読んでいる者に陰惨な、あるいは暗い読後感がやってこないのか。その答えは、前段に筆者が書いたような両者の関係を視野に入れて、それにバックアップされて、渋谷がこれを書いているからである。この読んでどこか心を動かす注を、渋谷に書かせているものも、淵源をたどれば、この両者の関係なのである。

この対談は、明記はされていないが、筆談である。ふつう対談は、先に述べたように当事者が話したものをテープ等を介して速記者が採録し、そのテープ起こし稿に両当事者が手を入れて、印刷にふされるが、雑誌の埋め草目的に、「苦しまぎれに企画された」この対談は、雑誌の校了まぎわに、原稿に穴があいたかして、たとえば見開き二頁分を埋めなくてはならないからと、編集室の片隅の机で、向かい合った二人が、自分の発言をこのままに、書いては相手に手渡す、相手は自分の発言を書いてこれを返す、というやり方で、作られている。筆者は一度松村雄策にインタビューした際に、松村の口からそのことを、確認している。

なぜこのようなぶっきらぼうで魅力的な対話が、可能なのだろう。

これだけ読んで気持のよい自己戯画化が可能なのだろう。

両者の意見、考え方、生活のスタイル、音楽観はまったく違う。

しかし二人は、ロック・ミュージックが非常に好きで、互いがそうであることを、自分に関してと同じくらい、確信している。

注記にも、批評が宿ることがある。そしてそれは、なぜそんなことが可能なのかと、読者に考えさせる。

3　手紙、日記、きれはし

発表を意図されないで書かれたことば

手紙で忘れられないのは林達夫の「三木清の思い出」という文章である(『林達夫セレクション3　精神史』平凡社ライブラリー)。

京都帝国大学に在籍していたころ、林は友達の三木清からよく手紙を受けとった。住まいは距離でいうと「二マイルの余も離れてはいなかった」が(マイルがおかしいが林はロサンゼルスの生まれ)、ある期間中三木は非常にまめに手紙を書いてきた。

「それは折に触れての随想のようなものではあったが、明らかに彼が恋愛の季節にあることを匂わせていた」。しかし「告白」めいたところがあるというのではなし、「何といったらよいであろうか、プラトニックといってもよいが、それにしてもそれは一種言い様のない衒気に満ちあふれたもの」だった。

察するところ彼は林を選んで自分の「感情生活の歴史的目撃者たらしめようともくろんで」いるらしい。パウロの書簡とかゲーテとシラーの往復書簡とか「最初からあるいは将来において公衆の前にさらされることを意識して書かれた」手紙の例は文学、思想の歴史に珍しくない。しかし、将来の書簡集を「自ら設計して」それに合致した手紙を書きつぐというのは希有の例に属する。この林の文章は、この後、「自分のをも含めて、人の書いたものの保存などということには一向熱心でなかった」彼が、これら三木の手紙を「もはやほとんど全部散逸させてしまった」と、続く。ことさらにオチがあるわけではないが、手紙というと、この文章を思い出す。

なぜ発表を意識して書かれた手紙が、面白くないのか、といえば理由は簡単。書かれた時点でもう読む相手がうんざりするようなものが、なぜ面白いだろう。そんなものが後で読んで面白いわけがないからである。

でもここにはよく考えると、批評の酵母菌に関する、難しい問題が顔を見せている。一つ、さすがにいまでは、こういう偉人式の手紙あるいは日記を書く人はいなくなったと思われるのだが、それはなぜか。そういうものを喜ぶほどナイーブな読者がいなくなったからだとひとまず、答えるなら、再び、なぜそういう読者がいなくなったのか。

以前、神奈川の近代文学館だったか、別の文学館だったか、明治時代の国木田独歩の誰かさん宛(名高い恋愛事件の相手佐々城信子)の書簡というものが展示されたのを見たことがある。巻物に見事な墨書で綴られ、まずもって立派な手紙で、これは最初から発表をどこかで意識していたなと勘ぐらないではいられない、代物だった。きっと、受けとった女性も、大事に保管したのだろう。恋愛ということが、社会にとっての大事件であることで、当事者にとっても社会的な一つの大事件だった時代の話である。

一つ、しかし、ひるがえって考えるなら、なぜ読者をまったく想定しないで書かれたことばが面白いのか。そういうことばを喜ぶ読者はたとえば明治時代にはあまりいなかった。でも最近は多い。たとえば、『志賀直哉全集』が従来のあり方から一歩を進めて志賀直哉宛書簡を収録しているところには、そういう傾向が顔を見せている。十九世紀に公共圏、世の中、一般読者が出現して「文学」が生まれ「批評」は「批評」と「評論」に分かれたと先に書いた。「評論」はさらに分かれて論考、論文、随想、随筆、エッセイ、短評、コラムといったさまざまなジャンルを生んだ。活字となった目で読むことば、書き言葉が人々を魅了し、「文学語」というものが生まれた。でも、それがいまでは氾濫している。さらにはインターネットというものも生まれている。誰もがいまや、ことばを発信できる。えっと驚くような若い人々が、誰にも黙って、自分のホームページの閲覧者数の集計チェッカーの数が、コトリ、コトリ、コトリふえてゆくのを貯金がふえるのを見るように、深夜ひそかに見守っているらしい。いまでは多くのことばが読まれることの期待のうちに書かれる。発表を意識されないで書かれたことばが、いわばそのようなものとして、人の目に映る時代になってきたのである。

ウォーホルの提示しているもの

去年の夏、バンクーバーでアンディ・ウォーホルの初期作品展というものを見た。一九五〇年代のものに見るべきものが多くあったが、この時期のものを実際に見て、これらがとても美しいことに強い印象を受けた。ウォーホルが、要するにそれまで人々が美しいとは思っていなかったものに、いち早く美を見出した芸術家なのだということが、よくわかったのである。

たとえば航空券の搭乗券の半分。さすがに日時時間まではもうおぼえていないが、Air France の一九五四年×月×日午後×時××分××発、×番ゲート。それが大きく拡大されて一メートル×一・五メートルくらいのキャンバスに複写されていたが、美しかった。

たしか川本三郎さんの書いたものに、もうずいぶんと前、車が高速道路に入っていくときの快感、という一行があった。

そういう一瞬。

新聞の一面の一部、見出しと本文と写真を、下手な子供が一生懸命に写したみたいになぞったもの、すべてが鉛筆で模写されている。これも美しい。名高いキャンベル・スープの缶詰も。あれは、

チキン・スープ、

チキン・ヌードル・スープ、
ビーン・ウィズ・ベイコン・スープ、
パンプキン・スープ、
キャベツ・スープ、
クラムチャウダー・スープ、
ヴェジタブル・スープ、
ミックス・スープ

等々と十一種もある、それが部屋いっぱいに並ぶのである。するとなぜウォーホルがキャンベル・スープ缶なのか、たちどころにわかる。

美しくあるべきものとして作られたものは、見る人にその作り手の美の基準を押しつける。どんなに美しいものも、そういう押しつけをいわば原圧力としてもっている。人は、その美の基準が古くなったから新しい美の基準を欲するのだが、ウォーホルが発見しているのは新しい美というよりは、そこに美の基準の押しつけがないという、別種のできごとである。

あるときから、美として提示されたものを受けとる、あるいは美として何かを提示するという、その手つきが、マッチョなものとなった。一九一七年、マルセル・デュシャンが「泉」と題して便器を展示会場に持ち込んだとき、彼は、既成の美の基準に反対していたのではない。美を、美の専門家が素人に指し示し、それを素人が賞嘆するというあり方自体を、転覆しようとしていたのである。

発表することを念頭におかずに書かれた手紙や日記が、しばしば多くの読者を得るようになったことの背景には、こういう美に関する逆転の契機が働いている。ウォーホルの少なくとも初期の絵は、キャンベル・スープの美を新しい美として提示しているというより、ウォーホルがスーパーマーケットでずらりと並ぶ十数種のキャンベル・スープの缶詰を見てオッ、これはカッコいい、と思った経験を、そのまま観る人の前に差し出しているのだ。そこでは、絵の方が、これを美術館に見にくる人よりも、薄い。

批評も同じ。

批評を書こうというその姿勢が、やんわりと批評を受ける時代がやってきたのだが、なかなかそのことには気づかれない。

やんわりとした批評とは？

批評として示されたものより、一見そのような意図なしに書かれたものに批評を見出すあり方に、批評の重心が移っている。

永井荷風の『断腸亭日乗』

永井荷風は、大正六年からひそかに日記をつけてきた。昭和十六年の二月、ある文章でそのことを無思慮に明かしてしまう。その後、この文章を読んだ誰かが自分の考えに関心を寄せ、調べにくるかもしれない、またこれが官憲の手に渡ればただですむまい、と不安になり、彼は、一夜、これまでの日記を読み直し、問題視されそうな個所を逐一削除する。「また外出の際には日誌を下駄箱の中にかく」すようになる。事実、公刊されたものを読めば、ある日を境いに、その日以前の日記中にはしばしば「〔この間約六字抹消〕」「〔以下七字弱抹消〕」といった注記が入っている。しかし彼はその後、この態度を撤回し、削除個所を復元する。

転機は同じ年の六月十五日にやってくる。この日、永井はある文章を読み、自分の考えを変える。

六月十五日日曜日病床無聊のあまりたまたま喜多村筠庭が『筠庭雑録』を見るに、其蜩の『翁草』につきて言へることあり。

ある日余彼菴を尋て例の筆談に余が著作の中にも遠慮なき事多く、世間へ広くは出しがたきことありなどいひけるに、翁色を正して、足下はいまだ壮年なればなほこの後著書も多かるべし。平生の事は随分柔和にて遠慮がちなるよし。但筆をとりては聊も遠慮の心を起すべからず。遠慮して世間に憚りて実事を失ふこと多し。翁が著す書は天子将軍の御事にてもいささか遠慮することなく実事のままに直筆に記し、これまで親類朋友毎度諫めていかに写本なればとて世間に漏出まじきにてもなし、いかなる忌諱の事に触れて罪を得まじきものにもあらず、高貴の御事は遠慮し給へといへど、この一事は親類朋友の諫に従ひがたく強て申切てをれり。云々

余これを読みて心中大に慚るところあり。(この後、文章を書いたことで不安になり、文字を削除したことにふれ――引用者)今『翁草』の文をよみて慚愧すること甚し。今日以後余の思ふところは寸毫も憚り恐るる事なくこれを筆にして後世史家の資料に供すべし。

(『摘録断腸亭日乗』下巻、岩波文庫)

そして事実、それ以前の削除個所は、この後彼自身の手で「補筆」される。この日までの『断腸亭日乗』は、誰の目にもふれないことを前提に書かれていた。大正六年から書きはじめられ、昭和十六年まで。ここまででも二十四年間に近い。読んでいると興つきない。たとえば、昭和十五年十月十八日。削除後復元の部分を特に傍点で記すと、

陰。午後落葉掃かむとて庭に出るに門外の木の間に何やら赤ききれの閃くを見る。〔この間約八字切取。以下行間補〕女の腰巻かと見るにさにあらず、〔以上補〕これ鄰

家の墺国人ナチスの旗と日の丸の旗とをその門に立てたるなり。（同前）

この後、この隣家の父は墺国人母は日本人のもとで生まれた男の子が、最近は「行儀甚わるくなれ」ることにふれた後、再び十六行にわたる「切取」個所があるが、欄外に補があり、以下続く。

日本人の教育を受くれば人皆野卑粗暴となることこの実例にても明なり。余が日本人の支那朝鮮に進出することを好まざるは悪しき影響を亜西亜洲の他邦人に及すことを恐るるが故なり。〔以上補〕（同前）

それまでは、右に「〔以上補〕」とある個所を含め全文が誰にも読まれないことを前提に書かれていたが、以後は「思ふところは寸毫も憚り恐るる事なくこれを筆にして後世史家の資料に供すべし」との思いで、既述部分の削除個所を復元の上、以後を書きつぐことになる。

しかし、面白いことだが、この日記の文章に、以前と以後、変化はまったく見あたらない。そればかりかこれを読む筆者の側にも、文章が違ったふうに見えてくるということは起こらない。

なぜ印象が変わらないのか。

筆者の考えをいえば、「思ふところは寸毫も憚り恐るる事なくこれを筆にして後世史家の資料に供すべし」という、このことばも、一般公衆に向けて語られることばではない。発表を前提にしないことばとして書かれているのである。

武田百合子の『富士日記』

荷風の日記が日本の戦前を代表する日記とすれば、戦後の日記を代表するのは武田百合子の『富士日記』か。文芸誌『海』の夫武田泰淳の追悼号に、一部が収載されたのが最初。読んで面白いのに驚いたことを、おぼえている。読んだ誰もがそう思ったのだろう。次の月から、順次、『海』に発表されるようになった。

小説家武田泰淳の夫人の百合子さんが一九六四年から一九七六年の武田の死までの期間に書きつけていた日記で、「武田が死ななければ、活字にして頂くようなこともなく、日記帳は押入れの隅の段ボール箱にしまわれていたものと思います」とあとがきにある。多くの記述は、日々の出来事、そしてその日その日の献立、買い物。

しかし、これが面白い。

読むとやめられない。

えいやっとひらいた頁にこうある。

六月二十一日(月)終日、雨
朝　ごはん、味噌汁、鮭の缶詰、大根おろし。

昼　グリンピースごはん、コンビーフ、スープ、青菜炒め。

夜　湯豆腐(ベーコンと玉ねぎ入り)、パイナップル。

一日中、庭先から向うは乳白色である。外に出てしばらくすると濡れているのがわかるほどの微かな雨が終日降っている。

二人で本栖湖へ行った。本栖湖は、ひどく減水していた。広くなった浜を歩いた。誰もいなかった。吉田の薬屋へまわって、茘枝のハチミツ(中国産)をあるだけ買う。九本四千五百円。

夕方、思いついたように、雨の中を外に出て、主人は枝伐りに夢中になった。


(『富士日記(下)』中央公論社、一九七七年)

もっとよい個所がたくさんある。たとえば、夫の友人の小説家梅崎春生死去の報にふれて、一家で三人が三個所、家の別々の隅に行って、泣いた、というところなど。しかし、この日記のよさは、そういういわゆる「よい個所」でないところの「よさ」である。何ごともとりたてては書かれていない。でも面白い。これはいったい何なのだろう。

しかしここに日本の第二次世界大戦後の、「よきもの」が現れていることはたしかである。もし日本の戦後にも名球会とか殿堂があるなら、これは「殿堂入り」のケースではないかと思う。

筆者はこれを筆写して、「湯豆腐(ベーコンと玉ねぎ入り)」を、今度作ってみようという気になった。ある日、ある人が、ある場所で、何かをした。そのことだけでも、人はそこから何かを受けとる。

4　人生相談

誌面の上に突き出た潜望鏡

二十年ほど前、国会図書館の海外事情調査室に勤めていたころの同僚にロシア専門家の袴田茂樹さんがいる。仕事は外国の新聞雑誌を定期購読することによって日本の新聞に紹介されない価値ある情報を国会議員に供することだった。袴田さんは官製の情報しか期待できない当時のソ連のメディアのなかで、特に青年向け新聞の「身の上相談」の欄を読み続け、そこにソ連社会の危機をかぎあてていた。その結果、袴田さんの翻訳する記事には、しばしば人生相談が選ばれた。人生相談は、世に出回っているメディアのなかで時に水面からそこだけ突き出た潜望鏡の役割を果たす。質問にも答えにも、人生の断面の一瞬の光が宿る。

最近はどの新聞も人生相談の欄には工夫をしている。読んでみると、思わず引き込まれるような応答があるにはあるが、数は多くない。

筆者がここ数年愛読してきたのは、このほど終わった朝日新聞「ティーンズメール」という十代の読者からの人生相談欄における、TETSUYA(元・ドリアン助川、現・明川哲也)氏の担当回である。この欄は四人の回答者が交替で順次回答していく。何の気なしに読んでいるうちに、TETSUYA氏の人生相談の答えを楽しみにしている自分がいた。この人の書くものに注目するようになったのは、二〇〇一年の九・一一において、当時のニューヨーク在住者の一人として新聞に寄せたコメントが、ほかの誰より面白かったから。ほかの人とどこか違う。読んでいると気持がよくなる。一例をあげる(『朝日新聞』二〇〇四年三月二十三日)。

「学校で緊張する時」(兵庫県《女性・16歳・高校生》)

最近、私は学校にいると緊張します。なぜかというと、この前まで仲良くしゃべっていた友達が急にしゃべってくれなくなって、いつも休み時間や移動教室の時も一緒にはしゃいでいたのに、最近はあまりしゃべってくれません。組を作る時もいつも同じだったけど、今はほかの友達と組んだりするので、私は不安になります。

「嫌われてるのかな」とか、「私、何か気にくわないこと言ったかな？」と毎日考えます。

グループを作る時など、「私1人になったらどうしよう」とかいろいろ考えてしまい、学校にいると緊張します。

こんなこと、今までになかったので、とても不安です。私は考えすぎですか？それとも、その友達に直接聞くべきなのでしょうか？　でもその友達と離れたくないし嫌われたくないです。どうするべきか分かりません。

私は悩みすぎでしょうか？

弱め効果とガーター

これに対する答え。

「16年後のフランスで……」

2020年、フランスはアビニョンの瀟洒なホテルにあなたはいます。インドネシア人のカレシがワインを注ぎながら、おめでとうと言ってくれました。パラソル画家として有名になったあなたはアビニョンの美術展に招待され、しかも作品を気に入ったヨルダンの大富豪から、展示品を百万ユーロで譲って欲しいと申し込まれたのです。

「これで念願の世界一周旅行ができる。プラハにアトリエも持てるぞ」

カレシはゴキゲン。あなたももちろんゴキゲンです。

「でも、傘に絵を描くパラソル画家なんて、いったいどういう発想で始めたんだい？」

あまり昔のことを語りたくないあなたはカレシにほほ笑みかけるだけ。しかし頭の片隅には2004年の高校時代がありました。嫌われたらどうしよう。1人になったらどうしようと緊張ばかりしていたあの頃。

そうだわ。あの時、新聞の人生相談に投稿したら、貧しそうな作家が「あなただけにしかできない何かを探そう。不安な時はひたすら創作に励もう」とアドバイスしてくれたんだっけ。それからは教室でつらくなる度に、私は画用紙に絵を描いていた。まさかそれがこんな実り多い人生につながるなんて。

あなたはそんなふうに思い、カレシにこう言います。

「孤独という筆が、人生をデザインしてくれることもあるわ」

（作家・ミュージシャン）

いまの女子高校生にとって「学校における緊張」が地球温暖化級のけっこう大きな世

界問題であることは、たとえば昨年芥川賞を受賞した綿矢りさという十代の子が書いた作品(『蹴りたい背中』)がこれとほぼ同じ場面から書き起こされていることからも、だいたいわかる。これは秀作であって、こちらの小説の主人公は、新聞の人生相談に尋ねるよりも自分以上にもっとヘンな外れ者の昆虫みたいな男の子(にな川)の風情に、なんだこいつは? と興味をもってしまう。筆者が大学で面倒を見た数年前の卒業論文にも、「私が最大の社会的問題」という、そのものずばりのタイトルをもつ面白いエッセイがあった。

なぜ、気持がよいのだろう?

TETSUYA氏の回答である。

「私は考えすぎですか?」「直接聞くべきなのでしょうか?」、でも嫌われたくない、どうすべきかわからない、「私は悩みすぎでしょうか?」。

こういう相談が舞い込んだら、あなたはどう答えますか。

威勢よく、「あんた、考えすぎ! あんまりくよくよしないの!」と持ち前の「空元気」で、こう尋ねる高校生の肩をバン、とたたくとか。

友達と一度、ゆっくり話し合ったらどうだろう。自分の気持を正直にいって、それで嫌われても仕方がないと心をきめて。そういうことも必要じゃないかな、と誠実に答えてみるとか。

一人になったっていいじゃないの、がんばりなさいよ、とストレートに励ましてみるとか。

ＴＥＴＳＵＹＡ氏の回答を見ると、これらの答えが、ある点で共通だとわかる。中身と文体はそれぞれ違うが、弱い人の問いがあり、それに強い人から答えが下る、という定型はしっかりと踏まえられているのである。

それは、カトリックの告解室以来の、信徒が神父にわが罪を告白し、ゆるしてもらう、先生と生徒の関係における、問いと答えの基本構造である。

これ、なんとかならないか。

人生相談なのだから、それはなくならない。

でも、少しだけなら、弱めることができる。

ピンを三本しか倒さない中途半端な回答、十本きれいに倒す見事な回答。人生相談にはいろんな回答があるけれども、どんな回答でも、回答は回答。レーンの向こうに心細げに立つピンを、カーン、乾いた音を立ててなぎ倒す。

これに対し、人生相談がどういうゲームであるのかを、ＴＥＴＳＵＹＡ氏は知っていて、ときどきゴロンと、球をレーンの端のミゾに落としてやる。ガーター。心細げに立つピンのすぐわきをボールが流れていき、闇に吸い込まれる。なぜこの人は外したんだろう、という問いを、倒されることを希望し、倒されることを覚悟してウッと目をつむる不揃いのピンに、彼は、考えてもらうのである。

5 字幕・シナリオ

「パラダイスですよ、はい」の字幕

映画の字幕が不思議な役割を担っていることに気づかされたのは、沖縄出身の映画監督高嶺剛の十六ミリ映画『パラダイスビュー』(一九八五年)を見たときのことである。もう十五年以上前になる。

舞台は本土復帰前の沖縄。小林薫演ずる元人気シンガーの主人公レイシューはいまは歌をやめ、軍作業もクビになり、家でぶらぶらしている。村に東京から細野晴臣演ずる日本人の植物学者がやってきて村の娘とのあいだに結婚話が持ち上がる。レイシューはその話を壊して森に消える。その森からも放逐される。最後、彼は森と村のあいだをさまよう。

時期はいつか。どうも本土復帰前の沖縄らしいと思えるだけで、映画にその断りはない。そのうえ、チョンマゲを結ったちんどん屋ふうのサムライ男にベトコンふうのゲリラ、ドラッグ文化を思わせる毛あそび、虹豚など目眩ましのアイテムがいろいろと出てくるので、沖縄人の若い監督が、どんなつもりでこのヤマトでの制作になる映画を作っ

ているのか、制作意図は不透明なままである。
ただし、監督の意図は、別の形ではっきりと示される。映画の登場人物は、レイシュー役の小林薫、村の娘役の戸川純を含め、日本人役の細野晴臣を除き、全員が土地のことば、琉球語を話す。本土の人間である小林、戸川は、かなりこのことばの習得のために時間を使ったはずである。彼らは沖縄の「方言」を話すが、映画はこれを「外国語」として扱う。というのも、映画には日本語の字幕がつく。この字幕使用がこの映画の眼目である。

というのも、字幕がスクリーンに現れる。すると、目が字幕を追ってしまい、字幕がなければ沖縄のことばとして七割方意味を判定できるニホンゴが、観客の耳に、外国語に聞こえる。字幕の異化効果が、彼らの話す「方言」を「外国語」にし、カメラが映す「沖縄」を、どこか南洋の「植民地」めいた場所に変えるのである。

たとえば、ユタの女性がそれは「ジョートー」だという場面。「ジョートー」は「上等」である。しかし字幕には「(そうするのが)一番いいよ」と出る。すると、「ジョートー」が、意味不明の琉球語になる。

そのことから生まれる印象は強烈であって、この監督は、当時多くの沖縄人が、沖縄も日本と同じだ、という身ぶりを示しているなかで、それとは逆のメッセージを発する。しかしその逆のメッセージとは、沖縄は日本と違う、ということではない。そこに描かれる沖縄はエキゾチックでトロピカルな沖縄であって、デフォルメされているが、その方向は、たとえば当時の航空会社がテレビCMで流している映像と同じだからだ。つまり、彼は沖縄は本土が思っている通りの場所だ、という。彼は、一見したところまじめくさった顔で、本土のステレオタイプを過剰になぞり、本土の観客に、自分たちが沖縄をどう見ているかという彼らのステレオタイプを、そのまま、熨斗をつけて、送り返してよこすのである。

それはあたかも、沖縄も日本と同じだ、も、沖縄は日本とは違う、も、ともに本土から用意されたステレオタイプで、いま自分がブレイクスルーしたいのは、その先をめざしてなのだ、というかのようである。沖縄というのは問題の磁場であって、そこではどんな事物も、N極かS極たらざるをえない。木石になってしまえば、その磁場を、「関係ないよ」で通過できるのだが、「木石」にはならず、鉄のまま、しかしN極にもS極にもならずに、通過したい。字幕の使用は、そういう、ことばにならない制作意図を語るかのようなのだ。

トロピカルでエキゾチックな南洋の島。「パラダイス」としての沖縄。この映画には、イヤ、沖縄はそういう紋切り型のイメージの土地ではない、というメッセージとは逆の、そう思いたいならいくらでもご希望の存在になって見せますよ、

パラダイスですよ、

はい、
という声が、響いていた。

無言劇のための台本

同じころ、劇作家の太田省吾率いる転形劇場の解散公演で初期の傑作『小町風傳』を見て、これにも震撼された。太田の転形劇場は『水の駅』をはじめ無言劇で名高い。『小町風傳』もほぼ無言劇だった。はじめに、役者が舞台を作る大道具を一人一つずつ背負って無言のまま登場し、しだいに簞笥の下段の上に上段が積み上げられ、衣紋掛けがしつらえられ、主人公の身を置く場所ができる。劇がはじまる。やがて、最後がくると、冒頭とはフィルムを逆回しするように、これらの大道具が一つ一つ、今度はひもをかけられ、役者に背負われ、撤収される。役目を終えた役者は、もはや黒子めいて見え、それはあたかも、それらの舞台の大道具に、おのずと羽根が生え、宙に浮かび、楽屋裏に戻っていくかのようである。世界が解体され、消えていく。

これが見ていて身が震えるようなシーンだった。

さて、驚いたのは、劇を見た後、この無言劇のシナリオを見せられたことである。そこには、逐一、各登場人物の台詞が書かれていた。え、どうして。

舞台の上で役者は何も語らない。しかし、心のなかで彼らはその台詞を黙語している。役者さんは、ここは、全て黙語すること、互いに相手の発語を確認した後、黙語で発語すること、などと演出の太田にいわれていたのだろうか。それとも、劇は当初、発語劇だったのが、作られていく過程で、黙語になっていったのだろうか。そこから以後の太田の沈黙劇が発生してきたのだろうか。

その詳細は、聞いていない。

松田優作の「怪演」

『ブレードランナー』の監督リドリー・スコットが日本で撮った『ブラック・レイン』（一九八九年）にも似たような話を聞いた。この映画が北米で上映された際、その通りのことが起こったかどうかたしかめていないが、興味深い話である。

それによれば、この映画に出演した日本人の俳優には、監督から、あなた方にはシナリオにある通りの日本語の台詞を話してもらうが、北米で上映される際、それには英語の字幕がつかない、そのつもりで演じてほしい、との要請があったそうだ。考えてみればこれは十分にありうる。というのも、リドリー・スコットといえば一九七九年の『エイリアン』で名をあげた監督であって、十年後に作られたこの映画も、これと同型の物語だからである。日本の狂犬のようなヤクザがニューヨークで殺人を犯した後、日本に護送される。日本に着いた途端、警官に偽装したヤクザに騙され、護送にあたった二人の刑事は犯人に逃げられる(このへんはドン・シーゲルの『マンハッタン無宿』に似ている)。その後の、ことばの通じない異境での二人の奮闘。一人は殺され、残された一人が、任務を終え、無事ニューヨークに帰任する。ここで舞台となる日本という異境を、エイリアンの国と置き換えてみよう。するとこれは、そのまま『エイリアン』である。日本人のヤクザが、彼ら同士は意思疎通できるが、われわれにはまったく意味不明の言語を話す。そこで話されることはすべてちんぷんかんぷん。不気味。唯一の例外は、英語を話す日本人刑事兼通訳役の高倉健のみ。

これも『エイリアン』シリーズ、のみならずハリウッド映画の定型をふんでいる。しかし、この指示は、日本人俳優たちには、禅の公案に等しいものだったようだ。

「このシナリオの日本語の台詞で忠実に演じること」

「しかしその台詞は観客に通じない」

「つまり字幕なし」

「そこのところよろしく」

たとえば内田裕也は、映像を見るかぎりこの公案をまったく理解していない。彼は日本の映画でやくざを演じるのと何一つ変わらない仕方で、その映画のなか、日本語をしゃべっている。室田日出男、安岡力也しかり。ただ一人の例外が松田優作で、狂気のヤクザを演じた彼は、ちょうど『パラダイスビュー』で監督高嶺剛が示したのと同質の身ぶりを、その俳優の身体で示した。

　高嶺は、日本人の沖縄に対するステレオタイプ像に対して、けっしてこれを否定することも、訂正することもしていない。彼は忠実にそれを「なぞる」。というかほんの少し過剰に、それをなぞることで、あなたはわたしをこう見たいんでしょ、と観客におのれのステレオタイプ像を思い知らせる。

　興味深いのは、この映画のシナリオを見た人の証言であって、インターネットのサイトで、ある人が、「優作の怪演で見過ごされがちだけど、脚本(つまり台詞)だけ見ると優作の演じた「佐藤」という役は、ごくごく普通のヤクザなのである」と、述べている。松田優作もまた、同じ脚本を与えられた。ただ彼だけがこの公案に答えた。ここにいわれる「優作の怪演」とは何か。彼の演技はどこでほかの日本人の俳優と違っていたのか。

　東洲斎写楽の役者絵は歌舞伎の俳優を過度に紋切り型にデフォルメすることで役者の持ち味を版画に定着している。松田の演技はところどころで写楽の役者絵を思わせる。彼はひそかに写楽を研究してみたのかもしれない。というのは冗談だが、ほかの俳優がせいぜい、歌舞伎俳優のようにエイリアンとしての日本人ヤクザをなぞってみせているとき、彼は、それ自体がなぞりであるところの写楽の役者絵的演技を造型し、いわばなぞりを過度化する形に米人観客にとってのエイリアンたる日本の気狂いヤクザを演じきることで、彼らに彼らの「紋切り型性」を送り返しているのである。

「えーえーわかってますよ日本人でしょ。

不気味ですよね何を考えているかわからない。

ほとんどエイリアン、
わかってますって」。

自分のことばが理解されないものとして意味をもつ、そういう場合でもやはり、ことばには意味がある。

そういえば。

いま思い出したことがある。

以前、『敗戦後論』というものを書いたとき、スウェーデンのラジオ局の通信員から取材を受けたことがある。質問は、あらかじめ英語か日本語であり、録音のときはスウェーデン語、しかしその受け答えは日本語でいいという。それでは意味が通じないのではないか、というと、いや、意味は通じなくてもいいのだ、あなたの答える声が大事なのだ、スウェーデンではこういう取材はよくあると、その女性は答えた。

6　名　刺

「忘れ得ぬ人」と「忘れて叶うまじき人」

芥川龍之介の名刺を見たことがある。もう二十年も前のこと。たしか目黒区駒場の近代文学館で催された展示会。名刺の紙の中央に、芥川龍之介とそれだけ書いてあった。肩書き、住所、電話等、いっさいなし。何だこれは、と思ったが、なぜこのような名刺が生まれるのか、そこには近代日本の物語があるとも、いまなら思う。

名刺が大きな役目を果たす短編に、国木田独歩が明治三十一年に発表した「忘れえぬ人々」がある。多摩川に近い宿屋「亀屋」で若い文学者大津と無名の画家秋山が偶然隣り合わせる。二人はひょんなことから口をきくようになり大津は一夜、秋山に、自分にとっての「忘れ得ぬ人」がどういう存在であるかを話して聞かせる。彼はいう。これまで世話になった人たちが誰にもあるだろう。自分にもいる。親や子、朋友知己、教師先輩。しかしこれらの人々は自分にとっては「忘れて叶うまじき人」というべきで、ここにいう「忘れ得ぬ人」ではない。「忘れ得ぬ人」とは、このような恩愛の契りも義理もない「赤の他人」であって「本来をいうと忘れて了ったところで」何の不思議もないのに「而も終に忘れて了うことの出来ない」、そういう人々だ。君にはないか。オレにはある。

そういって彼は、十九歳のときに瀬戸内を船で渡っているとき偶然小島の岸に見かけた一人の男、阿蘇の山麓で歌を歌っていた一人の壮漢、四国の港町で見かけた琵琶僧を例にあげる。ここのところ、大津のいう「忘れ得ぬ人」の定義は、筆者のいう「文学語で批評として提示された批評」ならぬ「ただのことばで記されしかもそこに見出される批評」と重なる。

さて。

彼らは大津にとりなぜ「忘れ得ぬ人」なのか。

　要するに僕は絶えず人生の問題に苦しんでいながらまた自己将来の大望に圧せられて自分で苦しんでいる不幸な男である。
　そこで僕は今夜のような晩に独り夜更て燈に向っているとこの生の孤立を感じて堪え難いほどの哀情を催おして来る。その時僕の主我の角がぼきり折れて了って、何んだか人懐かしくなって来る。色々の古い事や友の上を考えだす。その時油然として僕の心に浮んで来るのは則ちこれらの人々である。そうでない、これらの人々を見た時の周囲の光景の裡に立つこれらの人々である。我れと他と何の相違があるか、皆な是れこの生を天の一方地の一角に享けて悠々たる行路を辿り、相携えて無

窮の天に帰る者ではないか、というような感が心の底から起って来て我知らず涙が頬をつたうことがある。（中略）

僕はその時ほど心の平穏を感ずることはない、その時ほど自由を感ずることはない、その時ほど名利競争の俗念消えて総ての物に対する同情の念の深い時はない。

僕はどうにかしてこの題目で僕の思う存分に書いて見たいと思うている。僕は天下必ず同感の士あることと信ずる。

（「忘れえぬ人々」『武蔵野』新潮文庫）

二年後、大津は東北の地にあって机の前で瞑想にふけっている。机の上にはこのとき語られた原稿「忘れ得ぬ人々」が披かれている。しかしその原稿の最後に新たに加えられていたのは「亀屋の主人」だった、「「秋山」では無かった」。そういうオチでこの小説は終わっている。

国木田亀吉

国木田独歩は複雑な家庭環境に生まれた。子どものころは功名心が強く、『我は如何にして小説家となりしか』というこの本と似たタイトルの著作に、出世して大人物になろうという気持が激しく、ある夜など「ナポレオン、豊太閤」のような大人物が世にそびえ立っているのが悔しく、涙を流した、と書いている。

小学校のときは、両手の爪をといでいて、喧嘩の際には相手をひっかいた。それであだ名は「ガリ亀」。

なぜ「亀」か。

彼の生まれたときの名前、幼名は「亀吉」という。

その名を恥じたのかどうかはわからない。

彼は十八歳になる誕生日の前に「哲夫」と改名している。

大津と秋山が偶然隣室に宿る宿屋は「亀屋」。そして「忘れ得ぬ人」は秋山ではなくて亀屋の主人。

主我がぼきりと折れて、自分とは無関係の風景のなかの無関係の誰かが浮かびあがる。

いろんな思いが起こるが、話を戻す。

名刺と無名性

なぜ秋山と大津は一夜話すようになるのか。きっかけは名刺交換。「亀屋」で顔を合わせ、初対面の二人は名刺を交換するのである。

七番の客の名刺には大津弁二郎とある、別に何の肩書もない。六番の客の名刺には秋山松之助とあって、これも肩書がない。（同前）

ともに相手の名刺に「肩書」が記されていないことを認め、彼らは相手がどのような青年であるかを知る。そして口をききあうのである。

明治三十一年、このことにどんな意味があるのかを知ろうとするなら、柳田国男の『明治大正史世相篇』(講談社学術文庫)をすすめる。「明治の社交は気の置ける異郷人と、明日から直ぐにも共に働かねばならぬような社交であった」。維新となり廃藩置県をへて全国各地から陸続と人々が大都市に集まってくる。維新前であれば、その風体、身なりから相手が士農工商のどの身分に属するか、あるいはどのような家柄の、役職の人物であるかはすぐにわかった。しかし、全員ことごとく洋髪となり、洋服を着て、互いに相手をしかとは知らないままに交際しなければならない、「直ぐにも共に働かねばならない。その必要が、酒を必要とさせたと、柳田はいう(同前「第七章酒」)。「手短かにいうならば知らぬ人に逢う機会、それも晴がましい心構えを以て、近付きになるべき場合が急に増加して、得たり賢しとこの古くからの方式を利用し始めたのである」。だから酒の効用は「酒は飲むとも飲まるるな」どころか酒に「飲まるること」であり、酔うことである。我を失い、喧嘩をし、仲良くなる。「常は無口で思うことも言えぬ者、僅な外部からの衝動にも堪えぬ者が、抑えられた自己を表現する手段として、酒徳を礼讃する例さえあった」。これを読むと現今の学生たちの「一気飲み」は、明治初期以来の日本の飲酒の古式に完全に則っていることがわかる。

さて、名刺は、この膨大な都会生活初心者群にとってもう一つ新しい「利器」となる。明治の名刺には現在の政府企業における肩書きが麗々しく記されるのがつねだった。役職がなくとも元〇〇藩士族であるとかの旧身分が記されている場合が少なくなかった。相手が誰かわからないままに、いちいち自分の肩書き身分を名乗るのは神経がつかれる。まず出会う。初対面の相手には名刺を差し出す。これが、酒と並んで「気の置ける異郷人と、明日からすぐにもともに働かねばならぬような社交」における必需品となったのである。

大津と秋山もその例にしたがい初対面の挨拶をかわす。たぶん名前のほかに住所が記されてはいるのだろう。しかし肝心要の肩書きがない。この場合、名刺の肩書きには、それをつける人、つけたいけれどもそれがない人、さらにそれをつけない人の三種類の態度がありえたはずである。大津も秋山もその第三の範疇に属した。「無名の文学者」と「無名の画家」。しかもその「無名」であることを恥じない青年同士。こうして二人は一夜を明かす。

ここにはかすかなスノビズムの匂いもある。これを究極まで引き延ばしたところにあの芥川龍之介の名刺がある。しかし、国木田の短編では、大津は最後に「忘れ得ぬ人」の原稿に、「無名であることを恥じない」秋山をではなく、単に「無名」である「亀屋」

のあばた面か何かのおやじを書き加える。

そう考えればこの短編の含みは深い。

この「亀屋」には亀吉の幼名が僅かに揺曳している。

その揺曳の意味をことばにするなら、「肩書きをつけない人」よりも「肩書きがない人」のほうが広い、となる。

「肩書きがない人」とは、「肩書きをつけたいけれどもない人」、俗人のことである。

7　科学論文

ゲーデルの定理

数学や物理学、そもそも自然科学一般を成立させていることばと、ふつうに使用されていることばとのあいだの断絶を、どう受けとめればよいのか。衆目の一致するところ、ここには批評のことばといわず、ことば一般の生に関する難題が横たわっている。

ここからは厄介なことがらがいくつも出てくる。筆者がこの本の冒頭にあげたポストモダンの批評の例では、数学者クルト・ゲーデルの「不完全性の定理」が知的振動の原発の震源だった。ゲーデルの「不完全性の定理」は、この時期さまざまな国で乱用されたらしく、後に、ポストモダン哲学一般における自然科学的知識理解の不正確さを指摘した若い学者による著作には、「ゲーデルの定理と集合論――濫用のいくつかの例」という章まで用意されている。そこでこの定理の証明したところは、適当にわかりやすくかみ砕いて引くと、こう説明されている。

一、形式化された無矛盾的な公理体系（たとえば高等数学）には、真であることを証明することも、偽であることを証明することもできないような命題が存在する（にもかかわらず、その公理体系の外部にある推論を用いてそれを真であると証明することはできる）。二、公理系が無矛盾な場合、その公理系の中で形式化できる論法によってその公理系が無矛盾であるという事実は証明できない。

（アラン・ソーカル、ジャン・ブリクモン『「知」の欺瞞――ポストモダン思想における科学の濫用』岩波書店、二〇〇〇年、訳文をわかりやすく変えた）

こう語ることによって著者たちは、たとえば、詩的言語の領域における一証明を、「ある体系の矛盾を、その体系内で形式化した手段によっては指摘できないことを述べたゲーデルの証明に近い」と述べるクリステヴァの指摘は、ゲーデルの述べたことを正反対に理解している、と批判するのである。

たしかにこれは非常に興味深い定理である。そのため、ここから批評家はどのような

「意味」をも引き出すことができる。たとえば、カントのアンチノミーという考え方は二律背反と訳されるが、原義は、旧約聖書と新約聖書の違いはそのいずれかが正しいとはいえない形で存在する(＝ともにいいうる)ことを、述べたものだという。カントは理性を純粋に行使すると、最後に四種のアンチノミー——対立する命題のそのいずれも成立する、いずれかが非とはできない——に到達すると述べるが、それは、このゲーデルの定理を思わせもする。あるいは、このことは形式化の外部なしに正誤の判断はありえないということを示唆するものだと受けとめることもできる。また、ある体系の内部に誤りが存在しない場合、その体系は完全ではないという——かつてイザヤ・ベンダサンが「ユダヤ人」の議決法について述べた——考え方を、ここから引き出すこともできなくはない(ベンダサンは、したがってユダヤ人の社会では議決において「満場一致」で決定されたものは「無効」とみなされると論じた)。

先の批評家柄谷行人は、この定理をもとに「彼(ゲーデル——引用者)は「形式主義」を外から解体したのではなく、それ自身の内部に「決定不可能性」を見出すことによって、その基礎の不在を証明したのである」と述べている。さらにこれを推し進めれば「外から解体したのではなく、内から解体した」ともいえるわけだが、ソーカル、ブリクモンからの批判は免れがたいだろう。しかしひるがえって考えるなら、いずれにせよ、われわれは、さまざまなことがいいうるし、それはそれ自体、そうとがめられるべきでもないともいいうるのである。自然科学のことばは、本来の世界では正確に運用されなければ困るが、転用された場合には、どのように精緻な定理であれ、それと異なる原理で、ある程度恣意的に受けとられるほかないからである。

難しいことば

しかし厄介というだけでなく、さらに一歩進め、批評とことばの関係を考える上で本質にふれる、難しい問題というものもある。こういうことである。この『「知」の欺瞞』は、ラカンやクリステヴァ、イリガライといったポストモダン思想の担い手の多くが科学の専門家の目から見ると半可通な科学知識の使い回しによって語られていることをセンセーショナルに指摘した本として名高いが、そこで著者のアラン・ソーカルとジャン・ブリクモンは、彼らが行ったいたずらについて報告している。

数理物理学、量子力学の専門家である彼らはあるとき、カルチュラル・スタディーズの専門学術誌に「著名なフランスやアメリカの知識人たち」が書いた物理学、数学の半可通の言及を切り貼りしたパロディー論文を送りつける。それが採用されてしまうのである。

実態はことほどさように悲惨なものだ、みなさん「わかったふり」をしているだけなのだ、自然科学に対する誤解を深めることにもなる、と若い彼らはいう。

しかし、この著作にふれた新しいタイプの批評家である内田樹は、ここからもう少し骨のある問題を引き出す。

内田によれば、ソーカルたちの結論は次の二点、

(1)自分が何を言っているのか分かっているのはいいことだ。

(2)不明瞭なものすべてが深遠なわけではない。

である。しかし「不明瞭である上に深遠でもある思想」というものもあるのではないか(ソーカルたちがそれを否定していないことを内田は断る)。さらに、「自分が何を言っているのか分かっていないときに、変に面白いことを言い出す人」もいるのではないだろうか。

人間はでたらめなことをする生物である。そしてそのでたらめぶりの中には、何か人をして感動させるような質のものが含まれている(ことがある)。どこまででたらめなことを言い募ることができるか、というのは人間のスケールを測る一つの尺度であり、人間の可能性の一つのかたちであると私は信じている。

というわけなので、ソーカルたちの結論には若干の修正をさせていただきたい。私の結論(1)修正案は、「自分が何を言っているのか分かっていない人がいても、私は別に構わない」というものである。

（「「分かりにくく書くこと」の愉悦について」『ためらいの倫理学
——戦争・性・物語』冬弓舎、二〇〇一年）

また、

ソーカルたちが心配しているほど読者はナイーブではないと私は思う。みんな「分かんない分かんない」と言いながら、結構そういう状況を楽しんでいるのではないだろうか。（私が「ソーシャル・テクスト」〔ソーカルたちが投稿した専門誌——引用者〕のレフェリーだったら、ソーカルの論文を掲載するほうに一票入れたと思う。だって「よく分からないけれど、なんだか面白そう」なのだ。ソーカルのパロディー論文は。）

（同前）

書いた人間がくだらなくとも、読む人間がすぐれていると、書かれたものはすぐれたものとして読まれるということがありうる。またある論文を読む人間が、「よく分からないけれど、なんだか面白そう」なのできっと自分にはわからないが秀逸な論文なのかもしれないと、判断を留保し、学術誌の掲載に一票を投じるということもあって、なんらさしつかえない。けれども誰が読んでも「よく分からない」、書いた本人も「よく分からない」、そう本人がいっているものが、「なんだか面白そう」に見えるということは、あるのだろうか。

かつてソ連の首相フルシチョフがピカソの絵を見て山羊が尻尾で描いたのとどこが違うのかといったことがあるが、ピカソの絵が「なんだか面白そう」なように山羊さんの尻尾ひったくりも「なんだか面白そう」に見えるということが、あるだろうか。

それは別種の「なんだか面白そう」なのではないだろうか。

そしてそれを、そう断った方がよい場合が、あるのではないだろうか。

ここに難しい問題というのは、このソーカルの論文がパロディーであると書き手によって示された上は、専門誌のレフェリーたちの判断は間違っていたといわれなければならないが、内田の論法でいくと、その間違いが「消えて」しまうという、問題である。学問の世界には正誤がありうる。そうでなければそれは学問とは呼ばれないだろう。自然科学の世界に正誤がなければその世界はすぐにも霧散する。

では批評の世界に正誤はあるのか。ないのか。あるとしたら、それは学問の世界の正誤と同じなのか。違うのか。違うならそれは学問の世界の正誤と、どう違うのか。

難しい問題とは、これである。

数字とことばの分かれる場所

しかしこの問題は先送り。いまは自然科学の問題に戻る。
小林秀雄が数学者の岡潔に、こう尋ねる。

小林　数学のいろいろな式の世界や数の世界を、言葉に直すことはどうしてできないのでしょう。岡さんのいま研究していらっしゃる数の世界を、たとえばぼくらみたいに言葉しか使えない男に、どういう意味の世界かということはなぜいえないのですか。

（『対話　人間の建設』新潮社、一九六五年）

やりとりのあげくに岡が小林の問いの真意にふれ、こう答える。これまで数学は知性の世界だけに存在しうると考えられてきたが、そうではない、「数学は知性の世界だけに存在しえないということが、四千年以上も数学をしてきて」「はじめてわかった」。

最近、感情的にはどうしても矛盾するとしか思えない二つの命題をともに仮定しても、それが矛盾しないという証明が出たのです。だからそういう実例をもったわけなんですね。それはどういうことかというと、数学の体系に矛盾がないというためには、まず知的に矛盾がないということを証明し、しかしそれだけでは足りない、銘々の数学者がみなその結果に満足できるという感情的な同意を表示しなければ、

数学だとはいえないということがはじめてわかったのです。　（同前）

これは先のゲーデルの「不完全の定理」と似た話だが、一九六五年の対談で最近出た証明といわれていることを考えると、違うかもしれない。しかし、いずれにしろ、この先の受けとり方が後のポストモダニストたちともソーカルたちとも違う、そこが二人の話の要点である。岡はいう。

……矛盾がないというのは、矛盾がないと感ずることですね。感情なのです。そしてその感情に満足をあたえるためには、知性がどんなにこの二つの仮定には矛盾がないのだと説いて聞かしたって無力なんです。矛盾がないかもしれないけれども、そんな数学は、自分はやる気になれないとしか思わない。そういうことは、はじめからわかっているはずのことなんですが、その実例が出てはじめて、わかった。矛盾がないということを説得するためには、感情が納得してくれなければだめなんで、知性が説得しても無力なんです。ところがいまの数学でできることは知性を説得することだけなんです。　（同前）

小林の質問の意味は、人はことばの形でしかものごとを理解できないが数学で行われていることはなぜことばにならないか、ということである。岡はこれに、いや数字もことばなのだ、しかし小学校から数えて大学の修士課程まで十八年間知識を積み上げなければこのコトバを理解できなくなってしまった、それは大きな問題だが、そのためにすぐに説明ができないだけなのだと答える。しかしやがて小林の質問がアインシュタインとベルグソンの論争にふれると、これがもっと遠い射程をもつ問いであることに気づく。そこでこの話が出る。その意味は、数学をつきつめていったら、数字とことばが違うことがわかってしまった、ということにほかならない。先のゲーデルの定理は、無矛盾の公理体系ではその無矛盾性の証明ができないことを述べていたが、そこから一歩進めて、岡は、無矛盾性が数学的に証明されたとしても、そして数学としては矛盾がないと語られても、その無矛盾性を数学者が納得できない。頭ではわかっても感情としてどうしてもピンとこない。そういう問題がここに顔を出しかかっている、というのである。問題はそういうところまできている、数学には基礎がない、ということがわかってしまった。

小林　わかりました。そうすると、岡さんの数学の世界というものは、感情が土台の数学ですね。

岡　そうなんです。

小林　そこから逸脱したという意味で抽象的とおっしゃったのですね。

（同前）

岡　そうなんです。

このやりとりをこう受けとってもよいだろう。岡は、数学を「わかる」ということのほうから見直さなければならない時期がきているという。小林はそれなら自分も賛成だと応じる。しかし、このことは逆からいうと、この数学のできごとを足場に、ちょっと待って、むしろ「わかる」「納得する」ってことはどういうことなの、と切り返していくことも可能だということである。これまで人間は「わかる」「納得する」ということを基礎にものごとを考えてきた。しかし、この「わかる」ということ、「ありありと心に感じる」ということこそ、逆に問われなければならないのではないか。「わかる」「ありありと心に感じる」ということ、実感するということをこれ以上遡行できない明証性の最終点、足場、原理のなかの原理、とみなすこの小林のようなあり方こそ、そこから一切の真理が生まれてくるとする「形而上学」と呼ばれるべきあり方の誤りの始点なのではないか。こういう切り返しが、ここに現れてきうるのである。

こう考え進めると、ここにポストモダンのデリダの「現前の形而上学」批判の起点が顔をだしていることがわかる。「現前」とは、ありありと現れているという意味である。小林秀雄がここで「感情」といっているものと同義だといってよい。そしてデリダがいうのは、この「ありありと感じる」（＝現前）に基礎をおく哲学思想は、もはや無効だ、ということである。デリダがその「現前の形而上学」批判を展開するのは、この対談の二年後の一九六七年に刊行される『声と現象——フッサール現象学における記号の問題への序論』という著作でのこと。

批評は「わかる」ことの上に立つのか。「わかる」ことの切断の上に立つのか。難しい問題がまさに、口を開こうとしているのである。

アインシュタインの相対性原理の論文

さて、それについても後で考えるとしよう。

筆者は、アインシュタインが二十六歳のときに発表した三論文のうちの一つが、「初等数学の知識だけあれば、その基本的な考えが理解できる」「科学論文として最高の傑作」、きわめてシンプルに「出発点となる前提から、目指す結論にいたるまで」「最短コースをたどっ」た論文であると聞いて、トライしてみた。すべてがわかったとはいいかねるが、その論旨のスマートさは、よくわかった。アインシュタインが「統一場」の理論にその後こだわり、孤立していったという進み行きも、さもありなんという気がする。アインシュタインは「わかる」ということの上に立っている。

困難な足場を捨てなかったのである。

この論文とは、いま岩波文庫に入っているアインシュタインの『相対性理論』。アインシュタインの一九〇五年のいわゆる光量子論、正しくは「動いている物体の電気力学」の論を、物理学者の内山龍雄が翻訳し、懇切丁寧な説明、解説をふしている。

筆者が理解したこの論のもっとも手前にあるもっともシンプルな指摘は、「相対性原理」というときの「相対性」というあり方が、どのようなことを指すのかという点にかかわる。

内山龍雄が原著にはない磁石と銅線との図を書いてくれている。上のようなものだ。(図1)

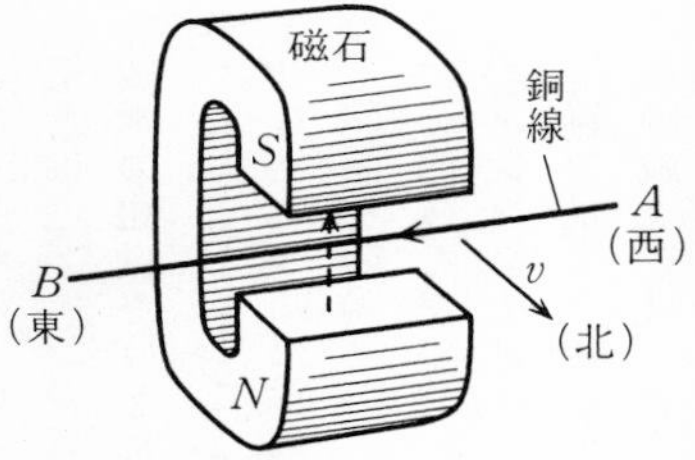

図1　『相対性理論』岩波文庫.
内山龍雄「解説」より.

これを手がかりにアインシュタインがどういっているかを示す。シンプルとはどういうことかの一つの例証になると思う。

(1)地上に静止している観察者Kがいる。その前に図1のように磁石を固定する。この磁石と銅線のうち、銅線を手前、北の方向にそのまま平行に一定の速さvで動かすと銅線内には矢印方向AからBに電流が生じる。このときKから見て磁石は動いていないから電場は発生していない。この電流発生のKの説明は、銅線内の電子が磁場の起電力に影響されてAからBに移動した、である。

(2)次に、地上に静止している第二の観測者K'の前に今度は銅線を固定する。この磁石と銅線のうち、磁石を南に向かってそのまま同じ速さvで動かすと銅線内には第一の実験とまったく同じ電流が同じ向きに流れる。矢印方向AからBに電流が生じる。このときK'から見て磁石は動いているからファラデーの電磁誘導の法則に従い電場が発生している。この場合、この電流発生のK'の説明は、電場が銅線内の電子に力を及ぼし、その結果電流が発生した、である。

（3）さらに第三の観測者K''を考えよう。K''は南に向かって一定の速さvで走っている。したがっていまK''から第二の実験を眺めれば、そこからは、Kが第一の実験を眺めた場合とまったく同じ状態が観測される。

こう三つのケースを並べて、アインシュタインはこう述べる。以下、適切な内山の説明版のほうを引く。

以上三つの実験を比べるとき、つぎのことが分かる。まず、これらの実験で、電流の発生の原因は、磁石と銅線の間の相対的位置の変化、換言すれば、両者の間の相対的運動であるということである。現象に対する解釈はK(ならびにK'')とK'とでは異なっても、観測される電流は同じである。さらに、興味あることは次のような示唆が読みとれるということである。すなわち、地上に静止しているKと、地上を一定の速さで走っているK''とは、まったく同じ物理現象を観測できるということ、換言すれば、KとK''との間には、電磁現象に関してまったく同じ法則が成立すると考えてよかろうということである。この結論を言いかえれば、電磁現象を利用して、観測者自身が静止しているのか、あるいは走っているのかを判別しようとしても、それは不可能であるということを示唆しているように思われる。

（「解説」『相対性理論』岩波文庫）

この証明は、電流は磁場の起電力によって発生するという力学的な説明と、電流は電場が電子に力を及ぼすことから発生するという電磁気学的な説明とが、ともに成立してしまうことをも語っている。これらから、「力学ならびに電磁気学においては、絶対静止という概念に対応するような現象は存在しない」ということがわかる。このことがすべてではないが、これを一歩進めてこれを物理学の基本原理としてとりあげ、これを「相対性原理」と呼ぼう、というのが、この第一論文の冒頭数頁の主張である。

美しい、という物理学者の形容が、少しはわかる。

最短距離、という言い方も少しはわかる。

科学者の話

アインシュタインは一八七九年バイエルンのウルム生まれ。一九〇五年にベルンのスイス特許局につとめながら三本の超弩級論文を発表、その後教職につき、一九二二年、ノーベル賞を受賞。一九三三年に米国に亡命。以後、長いあいだ「統一場」の研究に没頭する。筆者が誰だったかの(たしかレオポルド・インフェルトだったと思うが)書いたアインシュタイン伝を大昔に読んだなかで、いまも忘れられないでいる話がある。ある日、アインシュタインがとうとう、統一場のアイディアはダメだとわかったと述べるくだり。アインシュタインは、ニコニコしていたそうだ。いままで自分にわからなかったことがわかった、統一場理論はダメだということがわかった、それがうれしいと。

あることが実現されるということがわかることと、あることが実現されないことがわかることは、ふつう反対の意味で受けとられる。しかし、これまでわからなかったことがわかることという一点に目を向けるとそれは同じことである。アインシュタインのことばといったたぐいの本がたくさんあるが、残念ながらこのことばはそういうもののなかに見つからないようだ。しかし筆者が彼のことばでもっとも印象深いのは、このことばである。

科学者のことばでは、次の話にもなるほどと思った。ついでに記しておこう。スプートニクがはじめて飛んだ日の翌日だから一九五七年十月五日の朝。大学の教室に出てきた湯川秀樹が、開口一番、「これでコペルニクスの地動説が証明されましたね」といった、ということだ。コペルニクスの地動説が唱えられたのは十六世紀。それ以来、世の中はこのことのもはや真たることは証明ズミと考えてきたのだが、いわれてみるとその通り。誰も地球が太陽の周りをめぐる惑星であることは証明していなかった。地球を外から眺めた人間もいなければ、地球の周りをめぐった存在もない。この間この説は仮説だった。湯川秀樹は、その仮説性をつねに頭に保ってきたことになる。あることが真ならぬ、真であるとの仮説のうちにおかれていることと、それが真であることとは違う、その違いの感覚を、この人はしっかりと保持している。そういう持ちこたえる力というものも、あるわけだ。

8　マンガ

大人になることと子どもでなくなること

マンガから教えられた。数年前、大学のゼミで西原理恵子の『ぼくんち』全三巻（小学館、一九九六―九八年）を取り上げたが、そのことが機縁になって学生の一人が卒論に書くことになった。このマンガは、かのこという若い女性と、一太、二太という二人の弟の三人の姉弟が貧しい暮らしのなか生きていく話である。西原のマンガだから（というのもヘンですが）非常に面白い。学生の卒論を指導するあいまに筆者もこれを何遍か読む。そのうち、なぜ兄弟が二人いるのか、ということが気になってきた。学生の卒論でもそのことがだんだんに大きな主題になっていく。

物語の当初は、ハイライトは、かのこである。次に、一太。一太は十代前半か。売春相手まがいのダンナからかのこがもらってきたケーキを、まだ六歳くらいの二太はうわーい、といって喜んで食べるが、一太は、ある日、オレは食べん、と手をつけない。一太は家を出て、非行の道の先達こういちくんのもとで半殺しの目にあいながらも極道修行に邁進する。一太のテーマは、察するところ、「大人になるとはどういうことか」である。しかし、三巻に入ると、マンガの中心は二太のほうに移動する。二太はちっちゃな女の子に恋をする。いろいろなことを思う。そして最後近く、遠い町でおでん屋になったはずの一太から便りがとだえ、

西原理恵子『ぼくんち』(小学館)より.

かのこが売りに出された三人の家、「ぼくんち」に火をつける。後日、焼け跡に二人で行ったときに、かのこが二太にいう。「二太、明日な」「遠くからシンセキのじいちゃんがくるからもらわれていきなさい」。自分はここに残る。ねえちゃんはタイムカプセルやから。「いつか一太と二太で迎えにきてな」。

次の日、最後の回、二太は古い小さな漁船でやってきたじいちゃんについて、もらわれていく。もう焼けてしまってない「ぼくんち」を出ていく。船が出る。町がだんだん遠ざかっていく。二太は向こうを向いている。

「ゾウの頭のかたちをした入り江を通って恐竜の入り江をすぎると、いよいよぼくの町がみえなくなる」。

じいちゃん　二太、寒いき中、入っちょき。
二太　じいちゃん。ぼく知ってんで。
二太　（ふりかえる。）
二太　こうゆう時は笑うんや。

この二太のテーマは何なのだろうか。学生と話しているうちに、ふいにわかる。それは「子どもではなくなること」なのだ。

大人になるとはどういうことか。

こういう問いがあるが、それとは違うものとして、子どもでなくなるとはどういうことか、という問題がある。それは子どもが子どもでなくなるときに、もつ問いである。願わくは、大人になった後で、その問いが、大人になるとはどういうことか、というもう一つの問いと、混同されぬことを。

筆者は、あるとき、「プレ近代とは何か」という江戸思想をめぐる講演で、「プレ近代」という問題意識と同時に「ポスト近世」という問題もあって、しばしば「プレ近代」という近世観が「ポスト近世」というそこに生きた人から見る近代観を隠してしまう、と述べたことがある。その発想の原点は、この『ぼくんち』の二太の笑いだった。

Ⅲ　批評の理由

1　もし批評・評論がこの世になかったら

福沢諭吉はいなかった

ところで、こんなふうに、さまざまな文章から、ことばで出来た思考の身体、批評を切り出し、そこに浸透している批評の酵母を取り出してみると、今度は逆のことが気になってくる。それなら、批評というものは、なぜあるのだろう。対談にも、手紙にも、日記にも、人生相談にも、字幕にも、批評というものが生きているのなら、ことさらに批評というようなものは、なくともよいのではないか。一方に、哲学とか社会科学とか自然科学といったしっかりした学問があるのに、どうして批評などという中途半端なものがなお、必要なのだろうか。

小説にとってだって、役立っているのかなんてわからない。あんなもん作品にたかる蠅みたいなものだ、なんてひどいことをいう人もいる。口に出さなくたって、だいたいはそう思っている、という話もある。小説、詩、演劇、物語、これはあったほうがよい。しかし、批評なんて、とても狭い世界にしか関係しない。なくなれとはいわない、あってもよいが、あれは、ことばの世界、文学世界の、フリーライダー、お荷物、キセル、無賃乗車者、喫煙者、なのではないだろうか。

ほんとうに批評・評論は、ないと困るのか。

そうだとしたら、理由は何か。

理由は、あるのか。

そこで、もし批評・評論というものがないとしたら、どうなるか、世界のことを考えると、気が遠くなるので、日本のことで、考えてみる。

もし批評・評論というものがなかったとしたら、

明治時代に、

福沢諭吉はいなかった。『学問のすすめ』『福翁自伝』『文明論之概略』はいうに及ばず。『丁丑公論』も「瘠我慢の説」も存在しなかった。北村透谷という人の半分がいなかった。彼と山路愛山とのあいだに交わされた「人生に相渉るとは何の謂ぞ」という論争もなかった。坪内逍遙という人がいなかった。彼と森鷗外とのあいだで交わされた「没理想論争」というものもなかった。夏目漱石という人が留学先のロンドンで「文学とは何か」という問題に衝突して「文学評論」というものを書こうとしたあげく、ノイローゼになって小説と出会った、そういういきさつを考えるなら、夏目漱石も。まあ半分くらい。「私の個人主義」「現代日本の開化」、そういう講演はきけなかった。歌人石川啄木も三分の一くらい。「時代閉塞の現状」は存在しなかった。岡倉天心、内村鑑三、そういう人も半分くらいは、いなかった。

大正時代に、正宗白鳥という人がいなかった。石橋湛山という人がいなかった。柳田国男、折口信夫、そういう独創的な学者も、半分くらいは、いなかったかもしれない。その他もろもろの――といっては失礼だが――文芸評論家の方々も当然ながらいらっしゃらなかった。

小林秀雄はいなかった

昭和時代に、小林秀雄という人がいなかった。河上徹太郎、中村光夫も同じ。林達夫という人がいなかった。中野重治という人も半分くらいはいなかった。その他、多くのプロレタリア文学、マルクス主義の文学理論の担い手たちも。坂口安吾という人も三分の一くらいはいなかった。保田與重郎、花田清輝といった人もいなかった。唐木順三、竹内好という人たちもいなかった。

戦後、「近代文学」という主導的なグループの担い手は、批評家だった。平野謙、本多秋五、荒正人、そして小説家埴谷雄高。戦後の小説家や劇作家はまた批評家でもあった。武田泰淳、堀田善衛、伊藤整、木下順二。批評家がまた劇作、小説をも手がけた。福田恒存。詩人も批評家だった。鮎川信夫、吉本隆明、谷川雁、石原吉郎。学者も批評家だった。橋川文三、丸山眞男、桑原武夫、寺田透。哲学者も批評家だった。鶴見俊輔。またちゃきちゃきの批評家という人々もいた。桶谷秀昭、村上一郎、加藤周一、山本健吉、江藤淳。さらに新しい、若い、若かった、批評家たち。磯田光一、秋山駿、上田三四二、高橋英夫、川村二郎。美術批評あるいは音楽批評の、宮川淳、遠山一行、吉田秀和。そしてポストモダンの批評家、柄谷行人、蓮實重彥。

そういう人たちが、ごそっと、あるいは半身ずつ、いなかったかもしれない。

それを、そのままもっと先までたどってみるなら、

江戸時代の思想家は、ほとんどみな町人あがり、あるいは武士からの移籍組だった。もちろん、公認の学問、朱子学はあった。しかし、思想はほぼすべて在野の学者、思想家たちによってになわれていた。中江藤樹、伊藤仁斎、新井白石、荻生徂徠、本居宣長、安藤昌益、横井小楠。さらに、中世までたどると、出家した人々、世を捨てた人々、の群像……。

アメリカという国ができるよりも先にハーヴァードという大学が創設されていたというような国ではない。国ができて、その国が大学という学問所を作った。徳川時代以降、そうである。それ以外の私立の大学は、だから、福沢諭吉の場合のように、まあいって

みれば評論家が、大学を、作ったのだ。そういう国……。

そういう国ではあるけれども、とにかく、大学はできた。大学ができたからには、勉強し、学問を積むなら、そこでやればよい。それなのに、なぜか、この国では、その外側でも活動がなされつづけ、批評家、評論家が消えなかった。

その学問所以外の文筆活動といえば、小説、詩、演劇、物語。うんそれならわかる。立派だ。それなのに、学問に似た、評論活動。

これらの人々が、いなかったとして、
すると、どんな困ったことが起こったはずなのか。

それとも、あまり関係がなかったのか。

江戸時代までは、事情も違う。だから、別として、明治以降は、なくともよかったのか。

戦前までは、しかたがない。だから、別として、戦後は、なくともよかったのか。

それとも、全部、なくともかまわなかったのか。

そもそも、この人たちは、なぜ学者の仕事とは違うことをやったのだろう。また、小説家、劇作家、物語作者、詩人、歌人らとは、異なる仕事を、ことばでやろうとしたのだろうか。

そこで彼らがやろうとしたことに、何々でないこと、何々以外のこと、といった受動的以外の、なにか能動的な意味は、あったのだろうか。あったとすれば、それは何か。

2 公衆、世間、一般読者

真っ白なスクリーンが生まれた

右のことに、筆者が答えるなら、こうなる。

少なくとも近代以降、公衆というか、一般読者というか、世間のみなさんというか、大きな公共的、世間的なスクリーンができたのだ。誰もが室内の小さな幻灯機に自分の書いたものを写して、それを人にみてもらう、というあり方から、誰もが空の上に大きく広がったスクリーンに、自分の書いたものを写しだし、それは見ようと思えば誰にも見てもらうことができるので、気持としてはすべての人に見てもらおう、と思って書く、というあり方に変わった。

ここに新しく生まれた公衆、一般社会、世間には、誰にも指導もできないし、誰もコントロールできないという特色がある。しかしまったくのアナーキー(無統制状態)かというとそうでもない。世の中が変わる。その基礎構造の変化がしっかりとそこでの人々の気分の変化として現れてくる。たとえば、産業革命が起こり、市民階級の経済的基盤が強化される。そうなってくると、社会の大きな部分を占める彼らに、ひとしく中世以来の身分制度の桎梏が日々の生活のなかでいちいち気に障る、いやだなー、と束縛となって感じられるようになる、などというのはその一例である。むろんここに述べるぐあいに絵で描いたように変化が起こってきたのではない。しかし、大きくいえば、こんなふうに、世の中は変わってきた、そうは考えておいてよいと思う。

だから、このスクリーンは日々、その映し出す白色の質を微妙に変えつつ維持される、空に広がる薄い雲と同じ、精妙な存在なのである。そのため、世間から隔離された学者世界、あるいは狭い文学世界、そういった閉ざされた世界のなかで、これまで権威だと思われていた考え方、常識だと考えられていた考え方が、どうも違うのではないか、間違っているのではないか、もう古くて実情に合わないのではないか、という場合、この外部存在としてのスクリーンは、そこに新しく出てくる考え方が妥当かどうかの中立的な、部外者的審判者となりうる。実際に、なるほどこの考え方のほうが妥当だと、一般読者が判断する場合もあるだろうし、たとえすぐにはそんな判定が下らないにしても、将来そういうことが起こりうる場合もある。また、そういうことが判定できない場合でも、そういうことがいつか、どこかでは起こりうる、と思える。そういうことが、すべて合わせて、そこで異議申し立てする人間に勇気と希望を与え、そこで異議申し立てされる側を緊張させ、謙虚にさせる。そういう働きをもち、そういう効果を及ぼし、そういう風通しのよさを保障することが、このスクリーンの意味であることが、わかってきた。

裁判制度で、専門家の裁判官が訴訟事例を判断する、一般の人々は、彼らを信頼し、彼らに判定者としての権利を委譲する、というあり方と、最近よく話題になる陪審員制度、まったくのただの人の無作為にピックアップされたグループに、その判定を一定の条件の下で委ねる、というあり方と、二つあるのと、似ているともいえる。むろんこの場合は、新しくできた公衆、一般社会、世間という読者のスクリーンが、この陪審員に該当しているのだ。

ベンヤミンとアインシュタイン

批評・評論と、学問の違いは、このスクリーンの使用の有無だとはいえないだろうか。右に述べたことだけで、そのいずれがよいかということは結論できない。学問世界も重要である。まず八〇パーセント以上の学問業績は、学問世界のなかで切磋琢磨されてきただろう。しかし、外部の公衆、一般社会、世間という領域での活動、つまり、批評・評論も、重要である。

たとえばドイツの批評家ベンヤミンは、若いときに所属する大学に提出した大学教員資格申請論文(「ドイツ悲劇の根源」)が、当時の視野狭窄のアカデミズムの認めるところとならずに大学に拒否されたことから、以後、研究活動の道をとざされた。そのため生涯批評家に終始し、これら一般公衆を相手にした評論活動によって自分の表現を行う。その後、亡命をへて、フランス・スペイン国境でナチスの手におち、自害する。本人の望んだことではなかっただろうが、彼の書くものが新しすぎたことが彼をアカデミズムから排除した。そのため、彼は執筆に際してはつねに、読者として、均質性のない、いわばピンからキリまで精粗のある人々を相手に自分の考えをことばにしなければならなかった。しかしそのことが、彼の独創にみちたすぐれた業績、写真など複製芸術への着目（「写真小史」「複製技術時代の芸術」）、パサージュなど新しい都市空間への注視（「一九世紀の首都パリ」「パサージュ論」）を、そうでなかった場合よりもはるかにダイナミックに彼にもたらす結果となったことは、疑うことができない。一般公衆のスクリーンは、この場合、十二分にセイフティ・ネットたる役目を果たしているのである。

あるいは、ドイツ出身の物理学者アインシュタインが、「生意気で反抗的な若者」（「アインシュタインハウス」館長談、『朝日新聞』二〇〇五年一月一日）として同じように「物理学者を志しながら物理学の教授と反目し、大学に残れ」ずにスイス・ベルンの特許局に勤め、そこで文学や芸術の愛好家たちと日々グループを作って議論を重ねるなかから、一九〇五年、二十六歳という若さで、いまならその一つだけでも十分にノーベル賞に値するといわれるような三本の論文を学術雑誌に投稿したという事実のうちにも、この素人のスクリーン効果は、顔を出している。
アインシュタインについて、宇宙物理学の佐藤文隆はこういう。

論文の書き方も変わっていて、博士号もとってない、大学の教員にもなれないような二十六歳の青年が、あなた方(当時の大家——引用者)はここを見落としているんですよと、諭すように書いている。それが時間と空間の考え方を変更するものだったから、大きなインパクトを持ったということなんです。

(対談「論理の楽しさを語ろう」同前)

また、

彼がダイナミックだったのは、素人っぽい発想が残っていたからだと思いますね。学会にいると、学会の問題から踏み出さないような形で論文を書く場合が多い。特許局に勤めていたことが、かえってよかったのではないでしょうか。

(同前)

特許局の時代、彼はほかの文学青年などとカフェで定期的な会合をもった。この挿話には、実は大きな意味が隠されていると思う。先ほどの小林と岡の話を思い出そう。世界は一つだという確信を、この話は与える。アインシュタインがなぜ二十世紀の象徴的科学者なのかという理由は、この一点にかかっているのだと思う。

デカルトの「公衆」への支援要請

しかし、そういう例をもちだすまでもなく、すでにデカルトが、そのもっとも自分でも大切なものと考えた著作を、これは「方法の論(traité)とはしないで方法の話(discours)とする」と述べていた。彼は、この「方法に関する話(ディスクール)」つまり『方法序説』を、当時の俗語であるフランス語で公刊しているのだが、そのことのうちにもこの新しいスクリーンへの着目は、顔を見せている。当時の学問世界での公用語はラテン語だった。ラテン語で提出されなければ学問業績と認められなかった。そのため、デカルトはこれのラテン語版をも提出している。なぜ俗語で書くかについて、彼は本の最後にこう書いている。

私の教師たちの用語たるラテン語をもってせずに、私の国の言葉をもって書くのは、古人の書物のみを尊信する人人よりも、全く単純な生得の理性のみを活用する人人のほうが私の所説を正しく判断されるであろうと思うからである。私は良識を研究に結びつける人人をこそ私の審判者として仰ぎたいのであって、かかる人人は、私が俗用語をもって私の論旨を説明したからとて、それを聴くことを拒むほどラテン語を偏重しないであろうことを私は確信する。(落合太郎訳『方法序説』岩波文庫)

このような「方法的な考え方」のうちに、スコラ的な――このスコラ schola というのはラテン語で学校という意味である――堂々めぐりの議論を脱しようという、またそのためにこの新しく生まれつつあった公衆に訴えようという、デカルトの一般社会のスクリーンへのいち早い支援要請の身ぶりが見て取られる。スコラ哲学が乗りこえられるには、単に内から論理的にそれが打破されるだけでなく、そのメッセージを映し出すスクリーンが、schola(学校)の窓の外に薄青い空のように広がることが必要だったのである。

ニーチェの出「学問」記

デカルトだけではない。一八七二年にニーチェは最初の著作である『悲劇の誕生』を発表する。このとき彼は二十八歳で、バーゼル大学の古典文献学教授。師のリッチュル教授に認められ、学位取得前にもかかわらず三年前の一八六九年からこの地位(バーゼル大学員外教授)にあった。着任時二十四歳、しかも無試験での学位授与。「アカデミズムの世界で空前絶後といえる異例の抜擢」(手塚富雄「ニーチェの人と思想」『世界の名著46

ニーチェ』中央公論社、一九六六年)。しかしこの著作は、ギリシャの悲劇の根源をアポロンとディオニュソスという二神の対立葛藤のうちに見出しつつ、ソクラテス以後とだえた悲劇の根源が同時代ドイツのワーグナーの音楽の精神によって再興されることを説く、破天荒な構えに立つものだったため、禁欲的な実証を旨とする文献学の師リッチュル教授の不興を買い、アカデミズムの反発も呼び、ニーチェを二十八歳という若さで学問世界から放逐させる。これではまるで「評論」ではないか。ニーチェは「学問」をはみでたというので排撃されるのである。

ニーチェ自身、将来の第一人者を嘱望されながら、世の「学者風」への嫌悪を隠さなかった。しかしこの著作が「学界から事実上破門追放を受けた」この年の冬学期には、影響を受け、「古典文献学専攻の学生は一人もかれの授業に出席しな」かったという。

こうして、学問と批評・評論とは、それぞれの長所を鍛え、互いに相手を刺激しつつ、ことばで出来た思考の身体を鍛え上げていく。ニーチェの例が示すのは、もはや自分の仕事を投影するスクリーンとして学問世界が十分ではないと判断された場合には、人はためらうことなく学問世界からその外に歩み出ていくということである。ニーチェは、その後、三十四歳で大学を辞し、以後、年金で生活しつつ、哲学的著作を発表し続けることになる。

しかし、彼の著作は、以後もいわゆる学問的な論文というものとは違う形をとる。たとえば『人間的な、あまりに人間的な』に見られるアフォリズム。アフォリズムというのは、簡単にいうなら、『徒然草』と出自を同じくする批評的断片である(ニーチェはモンテーニュを愛読していた)。

あるいは詩的断章とも読みうる『ツァラトゥストラはかく語りき』。これは、古代ペルシャで拝火教(ゾロアスター教)を開いた開祖ゾロアスター(ドイツ語読みでツァラトゥストラ)の行状と言行を記したもので、ニーチェ作のもう一つの『聖書』といいうる。彼はキリスト教の道徳を、弱者のルサンチマン(うらみつらみの感情)に基づく後ろ向きかつ欺瞞的な存在だとして、激しく批判するが、単なる批判では仕方がないと考える。彼の主張は一方で『道徳の系譜』といういきわめてスマートな論文の形をとりつつ、他方、キリストよりもすぐれた聖者として彼の創造するツァラトゥストラの物語となるのである。ここには、学問というよりは哲学、哲学というよりは批評、さらに批評というよりは物語、詩とも呼ぶべき、書くことの身ぶりの転移のさまが、見てとられる。

ツァラトゥストラはこう歌った。だが、舞踏が終わり、乙女たちが去ってしまうと、かれは悲しみにおそわれた。「日はとうに沈んだ」と、かれはようやく言った。「草地は露をおび、森からは冷気が吹きつけてくる。

未知のものがわたしを囲んでいて、物思わしげに見ている。なに！　おまえはまだ生きて行くのか、ツァラトゥストラよ。なぜ？　何のために？　何によって？　どこへ？　どこで？　どうして？　なおも生きてゆくのは、愚かなことではないか。

ああ、わたしの友らよ。わたしの内部からこのように問いかけてくるのは、たそがれなのだ。わたしの悲哀を許せ。

たそがれになった。たそがれになったことを、わたしに許せ」

ツァラトゥストラはこう語った。（手塚富雄訳「ツァラトゥストラ」、同前）

一つの考えを記すこと、しかしよく観察すると、それは、感情のようなものに伴われている。ことばを書きつけるたび、自分のなかにさまざまなものが息絶え、蘇り、またささやかなものが芽吹いてはたんぽぽの種子のようにどこともしれず消えてゆく。そういう経験が書く者の内部に積み重なってゆく。そのような経験が重なると、ある考えを記すことは、少しずつ、記すことによって自分に耳をすますことに似てくる。こころがこころをふりかえる。深淵が深淵を覗き込む。

父はプロテスタントの牧師で、ニーチェは少年のころ敬虔な信徒だった。真摯にキリストへの信仰にふれ、キリスト教を離れた。彼は、キリストを批判しようとしたとき、その批判がどのような批判であれば、批判たりえたかと考えただろう。「たそがれになった。たそがれになったことを、わたしに許せ」。

このことばは、学生のころ、この本をはじめに読んだとき、筆者の胸に届き、いつまでも残った。

山本義隆は「受験生」に鍛えられた

だいぶ話が遠くまでいってしまった。少し身近なところに戻ろう。

公衆、一般社会、世間が新しいスクリーンとして機能することで、学問世界に包摂されない思考の場としての批評と評論を作ったということでいえば、一九七〇年前後の全共闘運動からも、ユニークな仕事をする書き手たちが生まれている。なかで、山本義隆は、物理学の少壮学究として当時将来を嘱望された一人であり、東大全共闘議長をつとめたが、運動終焉後、大学を離れ、大学受験の予備校に職をえ、在野の研究者として学問を続ける。その仕事は、三十余年後の二〇〇三年、『磁力と重力の発見』という著作となって世に出る。なぜ近代科学がヨーロッパからだけ起こったのか、という疑問にはじまる自然科学史の著作だが、その書かれ方のなかに、学問的水準を落とすことなく、しかし一般公衆を相手に書こうという、大学闘争時代以来の意向が生きている。

二〇〇三年度大仏次郎賞を受賞した際の選者井上ひさしの評に、こうある。この本は

数式苦手の自分にも読めた、とあり、続けて、

理由は、とりあえず三つある。

第一、数式を出来るだけ抑えて、その数式を言葉にしてくれたこと。その努力がみのって、ここに平明で正確な日本語文が実現した。

第二、一般論を振りかざすことなく、窓口を「地球そのものが巨大な磁石である」という一点に絞ってくれたこと。著者の位置が常に「磁石」の上にあるので、全体に太い軸が一本、ぴんと通っていて、とても分かり易い。

第三、いたるところに面白い挿話やびっくりするような史実が盛り込まれていること。


（『朝日新聞』二〇〇三年十二月十八日）

山本自身はその受賞の言葉のなかで、「在野で研究する最大の困難は、自己満足に陥りやすいことです。その意味では（中略）「専門家の批判に耐える」という要素は極めて重要だと思います」と述べている（「受賞者スピーチ」『朝日新聞』二〇〇四年一月二十九日）。この本を披いて頁を追っていくとわかるのは、彼が身過ぎ世過ぎのためについたかに見える大学受験予備校での経験が、そうではなく、この著作を、異様なまでに柔軟でしかも精緻なものにしている、と見えることである。

大学の受験についてはさまざまな評価が可能だろうが、いま日本で、いわゆる予備校の学生以上に熱心で、意欲に富む生徒の集まる場所があるだろうか。その大学との一番の違いはそこで学ぶ者が社会的な足場をもっていないことである。福沢諭吉の自伝を読むと大坂の緒方塾での勉学のすさまじさに驚かされるが、緒方塾塾生の特徴は、社会にいまだ地歩をもたない者がそこで学んでいるということで、この種のかつての学びの地位は、いま皮肉にも予備校に(だけ)見られるのである。

たとえば山本のこのような表現。ヨーロッパ中世における魔術の研究にふれて、

しかし歴史的な研究は、そのようなケース・スタディーが必要なのではないだろうか。つまり魔術や技術が科学の形成にはたした役割如何というときには、一般論として論じるかぎりでは、歴史資料にたいするアクセントの置き方によりどのような立場もそれなりに論証されることになり、議論がクリア・カットなかたちで決着をみるのはむつかしい。(中略)議論を一段階深化させるためには、近代自然科学の成立にとってキーとなる概念に議論を収斂させ、その概念形成をめぐり具体的に論ずることが必要とされる。

(「序文」『磁力と重力の発見1 古代・中世』みすず書房、二〇〇三年)

ここに出てくる「ケース・スタディー」「アクセント」「クリア・カット」「キー」の出てきかたのうちに、筆者はいま日本でもっとも熱心な学生たちに鍛えられた簡明でかつ堅固なものいいが、学術的な主題とあいまって、一つの独自の文体となっているのを感じる。これらのカタカナは、水面に浮かぶ「浮き」のようだ。魚がかかっている。それが水面で、ヒクッヒクッと動いている。この浩瀚で精緻な科学史記述を開かれたものにしているのは、著者の動機である以前に、福沢諭吉に通じる、さまざまな動機にもまれた、この「塾」の経験なのだと、思う。

注のないヘーゲル

同じように大学院後期課程の院生として運動に参加したヘーゲル研究者の長谷川宏は、運動終焉後、大学を離れ、学習塾を経営する傍ら、勉強会を続け、その研鑽の成果をまったく新しいタイプのヘーゲル訳として、世に問う。ヘーゲル晩年の『哲学史講義』『歴史哲学講義』『美学講義』も、これまでのヘーゲルのイメージを一変させる、じつに読みやすい訳だが、世にもっとも難解といわれる哲学書の一つ、ヘーゲル壮年時の初の本格的著作である『精神現象学』をこの人の訳で読んだときには、つくづく、一つの断絶がこの訳書のなかに生きているのを、感じた。

このときには、友人に助けられ、数年がかりで、英訳、仏訳などとともに数種類の日本語訳の本を机に並べ、読書会の形で読んだが、頁を開いてすぐに、これはもうこれまでの訳者とはまったく違う発想に立った訳書であることがありありとわかった。読みやすい。とはいえ、注もいっさいない。索引もない。そのうえ同じ原語の用語に異なる訳語をつけているので、厳密に意味をたどろうとすると、役に立たない。しかし逆からいえば、日本には『精神現象学』の翻訳は、これまですでに何種類か出ている。原語に忠実に、多くの注をふして出ている金子武蔵訳、樫山欽四郎訳。いままでになかったのは、できるだけ敷居の低い、誰もがアクセスできる、こういう『精神現象学』なのである。必要なら、これを別の翻訳と合わせて利用すればよいのではないか。

訳者がそう考えたかどうかはわからない。しかし、裃を脱いだ『精神現象学』訳、原書の筆勢をとどめた、カジュアルな翻訳、という感じが、この翻訳には濃厚にある。

こういう訳業は、訳者自身の思い切りなしには、なかなか生まれないだろう。彼はあとがきにこう述べている。

注は今回も一切つけないことにした。原文には、ヘーゲル自身の注はなく、版によってわずかの編注があるが、これはおおむね本文に組みいれた。日本語本文でわかりにくいところを訳注で補う、という方式には食指が動いたが、最終的には、本文だけで文意を通じさせる姿勢をつらぬくことにした。したがって、ところによっては、原文にはない単語や句をかなり補って訳文が作られている。
（『精神現象学』作品社、一九九八年）

ここでも階段をスロープに変えた、ヘーゲル訳の企て。この訳は、高度な学問的業績にちがいないが、同時にきわめて高度な、批評的行為である。

橋爪大三郎の松竹梅セット

しかし、これとは違う進み方もある。

全共闘運動を学生として経験した橋爪大三郎は、その後、大学院に進むが、学生時代の独立独歩の学問観を手放さず、大学院後期課程を満期終了後、自ら言語派社会学というものを創立し、在野の研究者として、執筆活動を続ける。面白いのは、この一介の在野の研究者生活のなかでも橋爪が大学に職を置く学者とまったく同様の学究のスタイルを自分なりに貫徹しようとしたことで、彼は、発表のあてのない研究論文を次から次へと「トレース用紙に鉛筆書き」しては、これを原紙に「青焼きコピー(リコーのSDFコピー)を作り、友人たちに配布したり、言語研究会(東大の社会学の大学院生を中心とする研究会)などの場で報告し」、誰もがアクセスできる準公刊の形を心がけたと、そのころに書いた論考を集め、後に公刊された『橋爪大三郎コレクションI 身体論』のなかで、述べている(勁草書房、一九九三年)。いつからかは不明だが、後には、それを自ら希望者に対し、実費で頒布するという「橋爪頒布会」なる文献頒布組織を作り、コピー注文リストを友人、関係者に送付するようになり、現在にいたっている。現在も、自分の論文に、たとえば、「橋爪1979g」という形で、自分の未発表旧論文を引用、ないし言及しつつ、論文を書き継いでいるが、右の著作に入っている論考に出てくるこの文献は、文献欄に、一行、

1979g 「言語ゲーム論批判のための準備ノート」(未発表)

とある。これを見ようと思う人は、先に述べた形で残された「原紙(トレース紙)をゼロックスにコピーしたもの」を原紙として、さらに頒布用にコピーされたものを、右の頒布会を通じて、請求すれば手に入れられるのである。

もう十五年以上前だろうか、筆者はこの橋爪頒布会の作成した前年一年間に橋爪がさまざまなメディアに執筆した寄稿論文、論考、エッセイのコピー注文用一覧の送付というものを、受けたことがある。リストには橋爪からの「お薦め」として重要度に応じて*○△によるチェックがあった。その論文コピー群に、それぞれ「松竹梅セット」なる

呼称が用いられているのに、思わず笑った。前記『橋爪大三郎コレクションⅠ　身体論』所収の一論文についての解題には、こう書かれている。

「記号空間＝社会」（原題も同じ、ただし、『記号空間論』序章のために、と副題を付す）は、一九七九年六月二一日に完成。トレース用紙に鉛筆書きで、二九枚。四百字詰め換算で一五〇枚に相当する。図やテーゼの番号をつけ替え、人名のローマ字表記をカタカナに直し、文献表の数字を一部手直ししたほかは、原文をそのまま収録した。図版は新たに描き直した。（同前）

橋爪は、この在野の期間、さまざまな大学の教職の公募に応募し続けたという伝説をもつが、筆者は、あるとき、落ち続けた書類が机の引き出しほどの厚さのファイルとなっているという話が事実であることを本人の口からたしかめたことがある。現在、橋爪はさる国立大学の教官をしているが、その論文のスタイルは、学術論文でありながら、学問世界をこえた一般公衆にまで届く平明でかつ厳密な語り口をもつ。学術論文でかつ批評的行為を含むことばもありうることの例証の一つである。

無条件降伏論争

ところで、この新しい公衆の登場ということでは、一つ同時代の経験として忘れられない思い出がある。一九七八年に二人の文芸評論家江藤淳と本多秋五のあいだで、「無条件降伏論争」がたたかわされる。きっかけは、江藤が、ある新しい戦後文学史の冒頭に出てくる「昭和二十年(一九四五)八月十五日、ポツダム宣言を受諾した日本の無条件降伏によって太平洋戦争は終結した」という一行をとらえ、これに一例を見るような戦後文学の内部での戦後観が、現在の日本の戦後文学の閉塞状況を作ったと、担当する文芸時評で、戦後文学の戦後観全般を強く批判したことだった。これを受けて、戦後文学の立場に立つ本多が、いや、戦後および戦後文学の基礎は、この一九四五年八月の「無条件降伏」という事実にあるのだから、この戦後観が批判対象とされるいわれはどこにもない、と反論を加えたところから、両者の論争に発展したが、これは、最初からどこか本多に不利な印象のつきまとう論戦だった。

江藤が述べたのはこういうことである。「無条件降伏史観」は戦後と戦前の日本を分断されたものと考えるが、むしろ日本人としては、自分の国の歴史を戦前から戦後へとひとつながりのものと考えるべきではないか、そうでないと、いつまでも戦後の歴史観の外に出られないのではないか。

そのため、彼のこの主張は、「無条件降伏」と呼ばれる一九四五年の日本政府の対連合国降伏は、百パーセント断絶の無条件降伏の相ではなく、政府自体は首の皮一枚で戦前から戦後へと生き延びたとする条件付き降伏の相で、評価すべきだ、というものとなった。

これに対し、本多の主張は、誰もが当時、無条件降伏として受けとめ、ほぼ百パーセントの断絶として理解してきた戦後の歴史観を、後になって歪曲するのはおかしい、というものだった。単に政府の官僚機構が戦前から戦後へと生き延びたことをとらえ、時流に乗じて歴史を偽ることは認められない、というのが彼本多の主張だった。

冒頭にふれたように、筆者は、一九七八年から一九八二年まで日本にいなかったので、この論争のなりゆきは目撃していない。これがはじまったときはまだ日本にいたものの、江藤淳が戦後離れしつつある時代の雰囲気のなかで、変なことをいいはじめたなあ、と思っただけだった。

しかし、帰国後、この論争に関心を抱き、いろいろと調べてみて、当時の印象がどこからきたのか、わかる気がした。じつは江藤淳は、彼がこの論争をはじめるほんの四年ほど前に、彼自身、「一九四五年八月十五日、日本はポツダム宣言を受諾して無条件降伏した」と書いているのである。ただ、それは英語で書かれたため、人目にふれにくく、誰によっても指摘されなかった(Eto Jun, *A Nation Reborn: A Short History of Postwar Japan*, Tokyo: International Society for Educational Information, Inc., 1974)。江藤自身が、ついこの前までは、そう思って自分でもそう書いてきたことをなぜ急に、おかしい、といいはじめたのか、このこと自体が、おかしいではないか、と問題はそう立てられなければならなかった。江藤は一九三三年に生まれ、敗戦を十代前半で迎えている。この降伏が無条件降伏だったことをむろんよく知っているのである。これを知らないのは、実は、江藤ではなく、当時の筆者くらいの年代の戦後生まれの読者層のほう、つまり新しく登場しつつある、一般公衆のほうだった。

つまり江藤という文芸評論家は、このとき、いわばスクリーンとしての一般読者、公衆、世間が、新しく更新されつつあること、スクリーンが新しいものに交換されつつあることに誰よりも早く気づいた批評家だったのである。なぜ、この論争は、これだけなら、本多に不利だったか。両者に新しい材料はない。その意味で五分五分。しかし、江藤には、新しい一般公衆(スクリーン)という必殺の武器があった。彼は読者層の更新――つまり戦後のことをもうあまり知らない読者層の出現――にいち早く気づき、それに支援要請すべく、彼らを説得するタイプの新しい議論を構築してみせた分、それに気づいていない相手よりも有利だったのである。

本多は、この議論の読者に従来型の「戦後の同時代者」をしか想定していなかった。彼は自分の同時代者に向けて語った。その分、不利にならざるをえなかったといえる。たとえてみれば、本多は、戦後文学の読者層二万人を相手に論陣を張ったのだが、江藤は、総合雑誌の読者層二十万人を相手に論を構成しようとしていたのである。

3　戦争と批評

戦時下の抵抗とは

このように批評は相手を選ばない。無作為の一般公衆によって鍛えられることが、批評を批評たらしめる。なぜ批評が健全であり続けるか。その秘密がここにある。しかし、そうだとしたら、もしこの一般公衆というものが、真っ白なスクリーンでなくなって、スクリーンごとある色に染まってしまう場合、批評はどうなるのだろうか。

何が面白いか。面白くないか。何が妥当で、何が妥当でないか。そもそもこの一般公衆が、こうしたリトマス試験紙の役割を放棄してしまうということがあるのだろうか。

しかしそういうことは、あるし、それも、しばしばある。

たとえば、ヒトラー治世下のナチス・ドイツ。圧倒的な数のドイツ市民がヒトラーを支持した。日本も同じ。軍国主義下の日本。ほとんどすべてのメディア、圧倒的な数の民衆、国民が、対英米の総力戦を玉砕覚悟で支持した。こういう場合、批評・評論はどういう身の動きを示すのだろうか。

戦時下の抵抗、ということばがある。

言論統制下に、勇気をもって言論でもって反対を唱えた、というような意味だ。

しかし、これは英雄的な行為ではあるだろうが、これだけを取るとあまり実際的には意味をなさない行為であることがわかる。一度、そういう英雄的(?)なことを書いた人士は、すみやかに逮捕、拘留(ときには惨殺)されてしまい、以後、書き手としては現れなくなるからだ。抵抗の内実とは、戦争がはじまる前であれば理由をあげてその戦争の開戦に反対であることを言論人として述べることだろうし、戦争がはじまった上は理由をあげてその戦争に反対であることを述べ、その戦争を一刻も早く終えさせるべく、一般公衆ないし心ある読者層に働きかけることだろう。しかしそれを、言論統制の規制にひっかからない形で持続的に行うのでなければ、あまり意味はないことになる。はっきりした反対の意思を明言し、とらえられるというのも立派な意思表示だが、政治的な結果責任からいうと、それで言論人としての責任はまっとうされるのかという問題が、残る上、これは後で考えたいが、言論は、その言論によって人が生きる形で構成されなければ、強いものといえないと思われるからである。

したがって、筆者の考えでは、そういうものは、戦時下抵抗ではあろうと、言論による戦時下の抵抗とは呼ばれない。呼びにくい。共産主義下のソ連では、人民の圧倒的多数が、自由のない体制を圧倒的に支持したとはとうてい思えないから、先の二つの例とは違うのだが、そこに生きた詩人ヨシフ・ブロツキーは、詩人は同語反復を嫌う。だから、体制への英雄的抵抗というものも、一度誰かにやられた後は、次は、同じことをやらない、別のやり方を考えるのだ、という(『私人――ノーベル賞受賞講演』群像社、一九九六年)。実際に、そういう言論統制下に生きた人のことばとは、そういうものだろう。言論による戦時下の抵抗とはどういうものなのか。

石橋湛山の「抵抗」

戦後首相にもなった石橋湛山は、東洋経済新報の主筆として、開戦前以来、たとえば「我に移民の要なし」(米国の移民排斥法制への国民の反発を牽制する、一九一三年)、「青島は断じて領有すべからず」(第一次世界大戦に乗じての青島領有への反対、一九一四年)、「戦死者を思え」(対中国出兵への反対、一九二八年)など、一貫して自由主義者の立場から、「社論」を執筆した。彼は、言論人としてだけでなく社の経営者としてもその姿勢を貫徹させている。治安維持法に、これは「国家を危く」するものと反対したが、それだけではなく、「治安維持法違反の疑い」で社員が検挙された際には「世間一般の経営者のように」彼らを「社外に放逐」することはせずに、その身分を守り続けることを経営者の責務と考えた。また、一九四一年に入り、東洋経済新報に対する圧力がにわかに強まり、「社内でも新報を維持するためとの理由で湛山の退陣を求める幹部の策謀」が生まれた際には、「「理由無き外部からの要求に倉皇屈従」すれば、新報は「精神的に亡びる」」(「創刊四十九周年を迎えて」全集12)として、断乎退陣を拒否し」ている(松尾尊兊「解説」『石橋湛山評論集』岩波文庫)。その自由主義の姿勢は揺るがない。しかも彼は、このことに加え、戦争期を通じてその経営する東洋経済新報を発行し続け、さらに同紙の社説欄に、その自由主義者としての持説を、開陳しつづけるのである。

なぜ彼にこのようなことが可能だったのだろうか。

彼は治安維持法への反対理由を、それは「国家を危うくする」からと述べる。政府が一方的に国民を指導、支配するのは、革命直後の政府などによくあることだが、いまでは国民の方が官僚よりも先をいくようになっている、上から国民を押さえつけるやり方は、国のことを考えれば、やめるべきだろうという。また共産主義等もしっかり議論してその善し悪しを吟味すべきで、一方的に取り締まるやり方は幕末の徳川幕府の教訓に学んでいないともいう。ふつうのインテリが「基本的人権の侵犯」だというところ、彼はその反対を、行くのである。

対中国二十一箇条要求への反対の際も、植民地領有への反対の際も、それは、自分たちにとって決してプラスにはならないから反対だ、という。人道に反するという言い方は採らない。人道、恩恵という言い方は、あまりあてにならない、とすら述べている。

これが、戦時下にあっても東洋経済新報を軍部が取りつぶせなかった一番の理由だったろう。ほかのメディア機関が、一方でこれこれの侵略行為は人道に反する、相手に対してマイナスである、よって反対、という博愛主義の立場に立ち、会社取りつぶし、紙誌廃刊、書き手の拘留の憂き目にあうか、でなければ、当時の三大紙、朝日、東京日々、読売のように、軍部に百パーセント同調してお先棒かつぎの言論に終始するようになるかのいずれかへの道をたどったなかで、石橋の新聞は、これこれのことは、国家にとってよくないことだ、という言い方で、ひいては国民にとってもよくないこと、世界にとってもよくないことを、もらすことなく、よくない、といい続けるのである。

その秘密は、これこれのことが人道に反する、ということと、これこれのことが、国家を危うくする、ということとが、石橋においては、対立していなかったことにある。でも石人によってはそれは、戦時下の言論弾圧をしのぐための戦略的な方便ともなる。でも石橋にとってそれは戦略ではなく、たぶん彼の信念だった。自由主義者は、国家を否定しない。筆者も思う。それはそれでいいんじゃないだろうか。一九四五年、五月、ベルリンが陥落したことを受け、翌月、彼は社説に書いている。

最近の我が諸新聞に、しきりに現われたベルリン最後の光景を写せる記事が、どれほどその真相を伝えたものかは、記者の知らざる所である。しかしそれらの記事のほとんど総てに明示もしくは暗示され、而していかにもそうであったかと思わせるいくつかの点がある。それは例えば戦争は畢竟するに物理的戦力の争いで、これを越えたる奇蹟はとうてい望み得ないということ、ドイツにおいてもついに最後には国内分裂が起り、国人同志の殺し合いが始まったということ、一般ベルリン市民は早く戦争の終ることを望み、五月一日ついにベルリンが陥落するや、彼らは敗北を悲しむよりも、かえってこれを喜ぶ風を示したというが如きである。(中略)ドイツ国民は一人でも生存する限りは断じて戦う、ナチスの指導者は最後までかく絶叫したけれども、事実はそうは行かなかった。ヒムラーはベルリンの防戦に、全市民を駆り立て、戦線につかしめんとしたがそれさえ実行不可能で、結局三百万の市民の大多数は防空壕中におののくに止った。(中略)

さてしからばドイツ国民は、どうしてかかる悲惨の結末に陥ったか。その最も重大な責任が指導者に帰せられなければならぬことはいうまでもない。それは指導者の名が当然命ずる所である。記者は先般ヒトラー総統を弔う文中にも述べた如く、ドイツナチスの指導者の政治的功績に多大な尊敬を払う者である。彼らの多くはまた、あるいは戦死しあるいは自殺し、いさぎよく祖国に殉じた。しかし彼らは、それだけで善く指導者たるの責任を尽したと言えない。仮令彼らの志操はいかに高邁に、過去の業績はいかに偉大であったにせよ、結局においてドイツ国民を今日の屈辱と困難とにさらし、これを事前に救い得なかった罪は、万死もとうてい償い得ざる所であるからだ。

反面教師

悪い手本・見本となることがらや人物のことだが、『広辞苑』によれば、第二次大戦後に中国から取り入れられた言葉。毛沢東が一九五六年に、当時のアメリカを「全世界人民の反面教師」(原文は「反面教員」)と指弾したのが最初の例という。ちなみに中国語で「反面」の対義語は「正面」。「正面経験」と言えば、積極的に学ぶべき経験の意になる。

第二はしかしまた国民全般に責任の存することは免れない。彼らには憲法もあり、議会もあった。しかしそれを彼らは自ら運用せず、国家と国民との全運命を挙げてナチスの独裁に委した。

（中略）

結論はかくてはなはだ平凡だが、ドイツ今日の悲境のよって来った原因は、指導者と国民と両者に共に存したというほかはない。（中略）奇蹟は今日の戦争には現われない。頼るは我が実力のみ。また我々の深く覚悟を要する所だ。

（「ベルリン最後の光景——奇蹟はついに現われず」、昭和二〇年六月二三日号「社論」、同前）

だいぶ長く引用したが、これを短く切るのは難しい。この文章が、言論のもっとも制限されるなかで書かれていることが、引用の短縮をためらわせる。昭和二十年六月、こういう文面が白昼堂々、日本の新聞紙面に出ていると思うと、この時期にたいする印象が少しだけ変わる。ドイツでも一億総玉砕みたいなことをいっていたけれど、ダメだったみたいだ。神風のような奇蹟は蒙古襲来のときはまだしも、今日ではムリだ。そのつもりで、われわれは今後を考える必要がある。彼は、ニュートラルにこういう。

こうした石橋の戦時下の抵抗ぶりにふれ、松尾尊兊は、「戦争に反対し投獄された人々は、もとより抵抗者として評価される。それとともに、政府に迎合せず、しかも合法的存在を保つという「芸」とねばりも、抵抗の一種として評価に値しよう」(「解説」、同前)と述べる。しかし、言論による戦時下の抵抗とは――確固たる読者層と彼らに達するメディアが存在し、かつその戦争に反対しなければならない場合、地下出版物等を通じてその所以を述べる、というケースを、たとえば占領下のフランスにおけるレジスタンスなどのケースを例に別に保留した上でいうなら――「政府に迎合せず」「合法的存在を保」ちつつ行われる言論の行使こそ、スタンダードだとしなければならないのではないだろうか。つまりこちらのほうこそ、第一義的なあり方なのではないだろうか。

言論による抵抗とは、その社会に保障された自由な言論行使の権利に則る。その権利を意味あらしめるよう行使しつつ、たとえば時の政府におもねらず、クールに反対することをいう。「合法」であることが原則。占領下ないし戒厳令下ならまだしも、自国の憲法とそこに保障された一定の言論の自由のもとでの抵抗を命題にするなら、非合法的な抵抗を第一義に置く考え方のほうが、「変則」なのである。

石橋の抵抗は、「「芸」とねばり」による「抵抗の一種として評価に値しよう」というより、むしろ、これが、言論による抵抗のスタンダード、模範形なのである。

石橋の東洋経済新報の読者サークルとして全国各地に組織された「経済倶楽部」は、「太平洋戦争開始時の二五」から「敗戦時には四一に達し」たとある。これもすごい。

このような言論にならエリートでなくとも、知識人でなくとも、アクセスできる。

林達夫のポリティーク

この戦争下、石橋とは別の形でけっして「政府に迎合せず」自分の言論を行使し続けた批評家に林達夫がいる。林が一九四六年九月に刊行した『歴史の暮方』が筆者の書架にはおさまっているが、それは、刊行の年に書かれた二つを除くすべての文章が戦前と戦時下に書かれ、しかもそれをそのまま本にするとちょうど敗戦直後の読者の待望の書となるといった、珍しい著作だった。林はそういう言論活動を戦時下に行う。表題となった元の短文は、日米開戦一年前に「帝国大学新聞」というところに掲載されたが、こう書きだされている。

絶望の唄を歌うのはまだ早い、と人は言うかも知れない。しかし、私はもう三年も五年も前から何の明るい前途の曙光さえ認めることができないでいる。誰のために仕事をしているのか、何に希望をつなぐべきなのか、それがさっぱりわからなくなってしまっているのだ。この自分の眼にしっかりと何かの光明を摑むために、何かの見透しを持ちたいために、調査室の書棚の前にも立ったし、研究会のテーブルの周りにも腰かけてみた。私には、納得の行かぬ、目先の暗くなることだらけである。

（中略）私のペシミズムは聡明さから来るものではなくして、この脾弱い体質から来る。先見の明を誇ろうなどという気は毛頭ない。そんなものがあればあるで、自分の無力さにまたしても悩みを重ねなければならないであろう。

（「歴史の暮方――時代と文学・哲学」『林達夫評論集』岩波文庫）

しかし彼はやがて書かなくなる。そのころ書かれた文章の一つは「開店休業の必要」と題されている。同年書かれたものは「鶏を飼う」と題された、鶏を飼育するの記である。

ところで、その林がそれに先立つ時期に書いた「デカルトのポリティーク」という文章に、そういう言論の統制下における抵抗をめぐる林の考えが、はっきりと示されている。彼はいう。デカルトの『方法序説』『省察』に続く第三の著『哲学の原理』は内容を「思想的に理解するには少しもむずかし」くないが、「それを書かせたデカルトの腹を探って見て行くと、実はなかなか複雑な心理的風貌を具えた書物」である。第一になぜ『方法序説』でまったく新しいスタイルを打ち出した彼がここでは「逆戻り」して「古風なスコラ的定型で一種の教科書を書く」に至っているのか。第二に、これはそもそもがラテン語で書かれた「学者先生」向きの本なのだが、その数年後、フランス語版を出した際に付した序文が、なぜ「旧弊な「学者先生」たちにすっかり愛想をつかして、ずぶの素人の共感と協力とを求める一種の陳情書のようにも」、あるいは自分の仕事をあきらめ、後世の世代にそれを託そうという「一種の哲学的遺言状」のようにも見える、奇妙な文面となっているのか。

「デカルトの(スコラ派のジェスイトたちをうまくだまし自分の哲学を敵の牙城のまっただなかに「潜入」させようという――引用者)計略が完全に失敗したことの結果ではなかったであろうか」というのが、林の推定である。

> 私は計略という言葉を使ったが、デカルトはどんなときにも慎重を極めた戦略家として物を書いていた(否、書くことを余儀なくされていた)学者であったということを忘れてはならない。彼は自分の考えを自由に述べるような状態には、思想的自由を目差して移住していたオランダにおいてさえ、決して置かれていなかったのだ。ここに彼がある学者のいうように「仮面の哲学者」たらざるを得なかった理由があるわけで、そこでまた彼の知的活動において、いわばデカルトのポリティークとでも言うべきものがいつも彼の思想発表の方式を支配していることに目をとめなければならぬ理由があるのである。
>
> (「デカルトのポリティーク――『哲学の原理』(佐藤信衛訳)に寄せて」、同前)

このような文を見ると、思い出されることがある。林は前出の「三木清の思い出」のなかで三木が戦前獄中に収監される契機となったある刑務所からの脱走者との関係にふれ、学生時代からの親友である三木の運の悪さということをいっているが(三木はその脱走者に乞われて便宜を与え、逮捕後のその人物の自白により逮捕され、敗戦直後に獄死する)、そこに、ついでのように、彼自身の亡妹にふれ、述べている。それによるとこの女性は、あるときから行方が知れなくなり、その後、軍国主義下、共産主義運動の活動家として地下潜伏し、逮捕され、いつとは記されていないが、亡くなっている。一方、また、これも彼が別の文章でふれていることだが、彼の弟林三郎は、このころ、参謀本部の一課長を務めている。陸軍軍人の超エリートである。一九四五年には阿南惟幾陸相秘書官を務める。ふれ合えば爆発的に反応する、ガラス一枚に隔てられた二種の液体、そういうものを抱えて生きる一人の人の像が浮かびあがるが、その批評のことばにも似た印象がある。

私は運がよかった。私が多少とも交渉をもった非合法時代の共産党員は、野呂栄太郎にしろ、島誠にしろ、亡妹にしろ、そしてこのT(亡妹のパートナー――引用者)にしろ、何度もつかまりながら、ついに一度も私に累の及ぶような口供をしたことはなかった。これは逆に言えば、私はこれなら信頼するに足ると確信することのできない人々には、一切どんな因縁があっても心を許そうとしなかったためでもある。三木の寛宏な温かさと私の狭量な冷たさは、こんなところにもあらわれているといえるだろう。——だが、それにしても、やはり運であった。

（前掲「三木清の思い出」）

書くことをやめる

しかし、たとえばどうにももう書けない、政府の喜ぶことを書くように強制される、書いても発表の場所を奪われている、筆を折るしかない、そういう場合にはどうすればよいのか。

戦前からの左翼作家である中野重治は、一九三五年の転向後、「村の家」という小説を書く。そこで主人公勉次は、父の孫蔵に、お前はこれまで人に働きかけておきながら自分は転向した、それは人間として恥ずかしいことである、その反省の意味もこめてしばらく自粛して筆を折ってはどうか、と諭されるが、「それでも（筆を折らずに——引用者）書いていきたいと思います」と答えて、父を失望させる。なぜこんなことをいったのか自分にはわからない。とても恥知らずだと思う。しかし、ここは何か譲れないものがある。中野はそんな主人公の自分でも意味の定かにつかめない踏みとどまりについて書く。しかしその後、この中野も、警察の保護観察下におかれ、「小説を書けぬ小説家」

「空想家とシナリオ」といった秀作を書いた後は執筆禁止処分となり、発表の場所を奪われ、最後は生活のため、東京都社会局調査課千駄ヶ谷分室臨時雇となるところまで、追い込まれる。

しかし、言論による抵抗がムリになったと判断されたら、なぜ言論人であることをやめないのか、一時的に、言論人であることをやめるという手もあるのではないか、と鶴見俊輔は、別の場所で述べる。彼によれば、社会主義者の山川均は、十五年戦争の戦時下、投獄と釈放を繰り返しながら、商人の生活を続けた。薬局を開いたり、写真屋をしたり、酪農をやってみたり、養鶏場を作り、卵を売ったり。後に帝大教授となった息子に卵売りを手伝わせたときには、「おまえはまだ商人としての心得をしらない」といって叱りつけたそうである。また無政府主義者の石川三四郎は、デモクラシーという用語を土民主義ということばのルビとして用いて、土地によって生きる人の自治と理解したという。「六〇〇坪ほどの地面を借りてそこに野菜を植え、このゆえに長い戦争の期間中も自らを支えることができ」た。そのため、「自分の食料を確保するために著作のみに寄りかかるという必要がなく」「その戦時の著作においてさえも国策に同調し」なかった。鶴見は、七十歳になったときも石川が「屋根の上に登ってそれを自分で修理することができ」たことを、書きとめている(『戦時期日本の精神史――一九三一―一九四五年』岩波書店、一九八二年)。また当時、大政翼賛会に入会しなかったほぼ唯一の既成作家である『大菩薩峠』の著者中里介山は、執筆をやめ、多摩の山村で開墾をやっている。なぜ、ものを書く人間は、ものを書くという仕事から離れられないのか。鶴見はそこに「サムライゼーション samuraization」というものを見ている。柳田国男の指摘を足場にした、江戸時代の武士が、農業、工業、商業には手を染めようとしなかった、その流儀が明治以後は左翼の闘士を含む知識人に流れ込んだ、という仮説である。

多くの言論人が、最後、生活のために、というより慣習的に、またこの「サムライゼーション」の流儀にからめとられ、書くことから離れられずにずるずると自分の考えを拡散させていったことを考えると、時には、書かないこと、書く代わりに生計を立てる道として、ほかの手段を選ぶこと、煙草屋になること、商売人になること、サラリーマンとなることが、このような日本の伝統のもとでは、批評的な行為となりうることがわかる。いわば書く言論人の生活から「出家」することが、書くことの上での一つの批評的行為、言論的な戦時下抵抗なのである。

こういう場所で、『徒然草』のたとえば、こんな断章はどうか。

四十歳過ぎの人が毎日灸をすえる場合、膝下の「三里」の個所に灸をすえないとのぼせるとあり。必ず灸すべし。（第百四十八段）

また、

鹿茸を鼻にあてて嗅ぐべからず。小さい虫ありて鼻より入り脳を食むといえり。
（第百四十九段）

鹿茸というのは鹿の角の生え替わりの芽の部分を切り取ったもの。昔はこれを強壮剤として用いたらしい。なぜ、こんなほとんど意味のないことばの断片が、読むところよいのか。ここでは、（意味あることを）書くことが、さしとめられている。そのことが気持よい。ある場合には意味あることなど何も語られていないことそのことが一つの批評である。

竹田青嗣の太宰治

こういう問題がある。

そもそも戦時下の抵抗というものが何なのか。

文芸評論を書いていたころの竹田青嗣が、太宰治について、よく文学者は戦時下に芸術的抵抗をなしたかどうかといわれるが、太宰はそういう文学観にこそ抵抗しようとしたのだと書いているのを読んだときには、度肝を抜かれた。

戦時下の抵抗ということと、文学をするということは別だというのだ。親鸞の『歎異抄』に「わがこころのよくてころさぬにはあらず」ということばがある。心が善意に染まっているので人を殺さない、というのではない、どんなに善意にみちていても機縁さえあれば人を殺すということは起こりうる、どんなに心が悪くても機縁がなければ人一人も殺せはしない、という「機縁」に目を向けることを、教えさとすことばである。

小説にもそういうところがある。なぜこの世の中が未来永劫平和でありますように、という善意で書かれた小説が、善意ひとすじで書かれれば書かれるほど、きまって見事なほど、くだらない出来になるのか。そういう整序された善意ではなくて、そのずっと手前のいわば愛憎の乱れた、善もあれば悪もある、そしてそのうち、けっして愛とか善にだけえこひいきするのでない書き手に領導された、無意識の混沌をたっぷり抱えた作品のなかからだけ、なぜ、人の心を動かす小説は生まれてくるのか。

そもそも、どんな善意の人でも、右のような善意だけで書かれた小説を読むと、うーん、やっぱり面白くはないねえ、という。このことは、面白いこと、人間に関して、救いを感じさせることではないのだろうか。

そこに小説の力があることは、疑いようがない。

ポリティカル・コレクトネスと小説は、まっこうから対立するのである。ソ連ではドストエフスキーは冷遇されたらしい。プラトンは詩人は共和国から追放すべしと書いた。ルソーも初期の学問芸術論では似たようなおかしなことを書いている。米国の学校図書館では『キャッチャー・イン・ザ・ライ』を禁書にしているところが少なくない。フランスではいまも反ユダヤ主義を唱えた『夜の果てへの旅』のセリーヌの一部の著作は禁書同然である。

一方、トルストイは善意の人だろうか。善意ひとすじの人がはたして人の性欲に苦しむ『クロイツエル・ソナタ』などを書くだろうか。『アンナ・カレーニナ』を書くだろうか。またトルストイに心酔した武者小路実篤は、やはり単に善意ひとすじの人か。彼の『お目出たき人』は、こうはじまっているのだ。

一月二十九日の朝、丸善に行っていろいろの本を捜した末、ムンチと云う人の書いた「文明と教育」と云う本を買って丸善を出た。出て右に曲って少し来て四つ角の所へ来た時、右に折れようか、真直ぐ行こうかと思いながら一寸と右の道を見る。二三十間先に美しい華な着物を着た若い二人の女が立ちどまって、誰か待っているようだった。自分の足は右に向いた。（中略）

二人とも美しくはなかった。しかし醜い女でもなかった。肉づきのいい一寸愛嬌のある顔をしていた。殊に一人の方は可愛いい所があった。自分は二人のいる所を過ぎる時に一寸何げなくそっちを見た。そうしてその時心のなかで云った。

自分は女に餓えている。

誠に自分は女に餓えている。残念ながら美しい女、若い女に餓えている。七年前に自分の十九歳の時恋していた月子さんが故郷に帰った以後、若い美しい女と話した事すらない自分は、女に餓えている。

（『お目出たき人』新潮文庫）

こういう面白い小説を書く人を、ポリティカル・コレクトな人だと、いえるだろうか。そういう文学を、戦時期に抵抗したかどうかで計測する。それは人を、ヴェジタリアンの人々が、彼もヴェジタリアンであるかどうかで、評価するというのと、似ている。

肉食はたしかに生命ある動物を殺害することである。よいか悪いかといわれれば、よいこととはいえない。しかし人間は、一介の生き物としては、肉も食べる。たしかに肉を食べないでも生きられるのだが、ふつうは肉を食べている。しかしそのことを悪であるとして、自分だけは拒もうとすると、どういう問題が現れるか。

埴谷雄高の『死霊』では、魚やチーナカ豆が現れて人間の救済しか唱えなかったではないかと釈迦とキリストを糾弾する。魚は当然のこと、豆も、生きているのである。先のヴェジタリアンの人は、徹底すれば、最後には、呼吸もしてはいけない、というところまで追いやられるだろう。事実、『死霊』の当初の構想では、物語の最後に、そう主張するジャイナ教の教祖大雄が現れ、信徒は、呼吸をやめ、窒息して死んでいく。

筆者は、この『死霊』の考えをとらない。どう考えればよいかわからないが、現にいま肉を食べて生きている。そこから考える。

小説もまた、現世を行く道である。小説は、PC(ポリティカル・コレクトネス)の比叡山を下りる、妻帯肉食の道をとる。小説の道は、社会改良の道とは違う。それは、善意だけではよいものは生まれないことを明らかにする道、悪を拒まない道、自分自身がいわば悪を善に変える溶鉱炉となる道なのである。

文学は、文学を、戦時期に抵抗したかどうかで計測する目に抵抗する。文学は、「戦争と文学」をそういう目では見ないで下さい、と流し目する。文学とは、そのような戦争への直接の目に見える抵抗とは異なる形で、戦争にノーという力なのではないだろうか。

そう竹田はいったのだと、いま筆者は理解している。

竹田がいったのは次の通り。

戦後、人々はずっと、戦争中の文学者およびその文学がよく戦争に抵抗したか否かということを、文学的に重要な問題だと見なしてきた。それは時代の趨勢として自然の赴くところだったと言うほかない。しかし、わたしの考えを言えば、そのような視線には危うさがある。たとえば、戦争前後の太宰が最も敏感に反応し、嫌悪したのは、文学についてのそのような視線である。（中略）

誰が間違った天皇制に反対したか？　誰が圧政に最もよく抵抗したか？　そういう社会的な「正しさ」のリトマス紙で「文学」を判定するような視線がある。ところが太宰の直観では、それは皇国イデオロギーの「正義」を持ち回った軍部の思想とほとんど同質のものなのである。

（「サロン思想について」『竹田青嗣コレクション2　恋愛というテクスト』海鳥社、一九九六年）

小林秀雄の「戦争について」

戦争で面白い反応を示したのは小林秀雄だ。一九三七年七月、盧溝橋事件により日華事変が勃発すると、彼は書く。

戦争に対する文学者としての覚悟を、或る雑誌から問われた。僕には戦争に対する文学者の覚悟という様な特別な覚悟を考える事が出来ない。銃をとらねばならぬ時が来たら、喜んで国の為に死ぬであろう。（中略）文学者は戦争にどう処するかと問われると、直ぐ欧洲大戦当時、外国の文学者達は一体戦争にどう処したであろうかという様な不見識な思索に耽り始める。そして大いに戦争に対して批判的になった積りでいる。そういう人の頭には、実を言えば戦争という問題がそもそもないのである。

（「戦争について」『小林秀雄全集』第五巻、新潮社、二〇〇二年）

また、

日本に生れたという事は、僕等の運命だ。誰だって運命に関する智慧は持っている。（中略）自分一身上の問題では無力な様な社会道徳が意味がない様に、自国民の団結を顧みない様な国際正義は無意味である。僕は、国家や民族を盲信するのではないが、歴史的必然病患者には間違ってもなりたくはないのだ。（中略）いろんな主義を食い過ぎて腹を壊し、すっかり無気力になって了ったのでは未だ足らず、（中略）時来れば喜んで銃をとるという言葉さえ、反動家と見られやしないかと恐れて、はっきり発音出来ない様なインテリゲンチャから、僕はもう何物も期待する事が出来ないのである。

（同前）

もう二十年以上も前、小林秀雄の愛読者だった筆者は、この小林のことばに納得ができず、しかしこの小林の批評のことばの力を否定することもできず、何度も、このことばを見つめたものである。そして最後に何をしたかというと、このことばを自分で書き直した！　われながら苦笑もの。中身を逆にして……。

このような文体で、このようなことを書く小林の前に自分の文章を立たせられるのでなければ、すべて、この小林に中身で反対しようと、批評としては、負かされてしまうと、感じたからである。

しかし、いま筆者の目にこの小林の文は別なふうに見える。右の引用のうち、最初のものは、「呵刈葭」論争における本居宣長の主張と語り口を思い出させる。これを書いた小林は、若い。三十五歳だったのだ。

いまの筆者はもうこの小林の文章を否定はしない。

こう書く小林と考えは違う。いまでは筆者は国際正義とつながらない自国民の団結など、それこそ国民にとって有害でこそあれ、何の意味ももたないと考える。しかしそれは、小林がこう書いたときとはもう時代が違うから、そう思うのだ。生きている世界が違う。小林の時代に生きていたら、小林がこう書くのを否定したかどうかはわからない。戦争に、単にことばで反対しただけでは、批評のことばとしては、反対したことにはならない。小林は、ここで戦争と文学者としてぶつかっている。彼は、戦争に反対といっているのではない。賛成といっているのでもない。これまでまったく経験したことのない世界との関わりがここにある、新しく考えなければならない問題がここにある。彼は率直に、そういっているのである。

4　無名性

二十歳すぎのヴァレリーに起きたこと

さて、話を変える。この学問と批評の違いは、一般公衆のスクリーンの登場ということとあいまって、もう一つ、次のようなことを考えさせる。学問と批評・評論との違いというよりは、学問・評論と、批評の違い。評論とは違う批評の特異点といったようなものが、ここから生まれてくる。

このような読者大衆の無名性のスクリーンの出現が、またサント・ブーブとは異なる批評家のタイプを生みだす。批評は、作品の論評という役割から離れ、広く公衆に訴える新しいことばになる。すると一方、その新しい環境にまったく別種の反応を示す、反対向きの思考のタイプが現れてくるのである。

それは、いわば学問とか評論とかから切り離して、この考えるということだけを、純粋に取り出してみたい、という欲求である。しかもそれを公衆に向かって発表などしたくない。無名性のままに、その思考を保持したいとする、奇妙な欲求でもあるといわなくてはならない。

そのような批評の無名化ともいうべき動きの頂点に位置するのが、フランスの詩人で批評家であるポール・ヴァレリーが残した唯一の小説『ムッシュー・テスト』という作品だ。ヴァレリーは一八七一年の生まれ。日本でいうなら、夏目漱石の四歳下。公衆、一般読者、世間の成立、その深まりということを考えないと、このような精神の出現は、考えられない。

この作品にはヴァレリーの次のような伝記的な事実が背景として控えている。『ムッシュー・テスト』の新訳をこのほど発表した清水徹の解説を参考にさっと素描してみよう（岩波文庫）。ヴァレリーは、若いころ早熟な文学青年だった。詩も書き、友人たちから一目おかれ、批評家にも認められていた。しかし、十代の終わりにある精神的な危機を経験する。二十代のはじめの彼は、友人のアンドレ・ジッドにこんな手紙を書く。「ずっとまえから、ぼくは死のモラルのなかに生きている」「つねに、自分を潜勢的な個たらしめるように行動してきた」、すなわちぼくは「自由に使えるものがあって、しかもそれを使わないというありかた」を好んだ。「この世でもっともぼくを驚かせたのは、だれひとりとして極限にまで行ったことがないという事実だ」。

自分は力をもっている。

しかし使わない。

彼はそんなことをいうのだ。

彼は二十三歳の夏から、レオナルド・ダ・ヴィンチの「手稿」にならって一冊の「ノート」に、具体的な日記ではない、省察と抽象的な探求を記すようになる。彼自身のことばを引くと、「日の出まえ、ほの明かりのころ」「おのずと浮かぶことを書く」。彼は以後、このことを生涯続け、二万数千頁の「ノート」を残すことになる。「自由に使える」ものを「しかも使わない」ことを好む彼は、以後、文学の世界から離れる。二十五歳の夏にその主要部分を書かれ、この年(一八九六年)に発表された「ムッシュー・テストと劇場で」を発表すると、一編の政治批評を書いただけで、以後、「それまでのカルチエ・ラタンの文学青年的な生活を清算するかのような結婚をして、ある老新聞人の個人秘書として生計を立てながら」、あとはこの「ノート」を書くだけ。そんな「簡単な生活」に入っていくのである。

その生活は、後にジッドから勧められたことがきっかけで長編詩「若きパルク」が書かれ、以後つぎつぎに詩が発表されるようになる一九一七年まで、およそ二十年ものあいだ、続く。

ムッシュー・テストと無名への意志

その折り二十代前半の彼をとらえた希求は、「ムッシュー・テストと劇場で」にありありと痕跡を残している。語り手の青年はいう。

しかしわたしは他人より自分自身のほうを（自分の評価者として――引用者）選んだのだ。世間がすぐれた人物だと呼ぶのは、みずからを欺いたひとである。すぐれた人物だと驚くためには、そのひとを見なければならぬ、――見られるためには当人みずからが姿を現さねばならぬ。（中略）かくして、いかなる偉人にも間違いという汚点がついている。強力だと世に思われている精神は、どれも、まずはじめに、自分を世に知らせるという過ちを犯しているのだ。公衆からもらうチップと引き替えに、彼は自分をひとめにつかせるのに必要なだけの時間をわざわざ割き、自分の伝達と、なくてもいい満足感の下準備のためにエネルギーをついやす。（同前）

青年の仮想敵は、「公衆」なのだ。夢想はこのように進む。

そこでわたしは夢想した、もっとも強靭な頭脳、もっとも明敏な発明家、もっとも正確に思想を認識するひとは、かならずや、無名のひと、おのれを出し惜しむひと、告白することなく死んでゆくひとにちがいない、と。そうした人びとの生き方がわたしに開示されたのは、他でもない、彼らほど志操堅固ではないため名声赫々たる生き方をしている人びとによってなのである。（同前）

「だれひとりとして極限にまで行ったことがない」ということの発見。自分こそ、その極限まで行ってみようという一種の強迫観念。彼五十四歳のおりの英語版への序のなかで、ヴァレリーはそのころの自分をこうふり返っている。

テストは、わたしが自分の意志に酔っていた時代に、奇怪な自意識過剰の渦中から、（中略）産みだされた。

わたしは正確をめざすという急性の病に冒されていた。理解への気違いじみた欲望の極限をめざして、みずからのうちに、注意力の臨界点を探っていた。（中略）わたしにとって容易なものはすべて、どうでもいいもの、というかほとんど敵だった。努力感こそが求められるべきだと思えていたのであり、運よく手に入った結果など、生まれついた力の自然な果実にすぎぬと、高くは認めていなかった。つまり、一般に結果なるものは、――したがって作品は――作り手のエネルギーにくらべれば、わたしにとってははるかに重要度の低いものであり、――そのエネルギ

ーのほうこそが作り手ののぞむものの実質をなしていた。（同前）

学問でも、評論でも、作品でもないもの

たぶんここに、学問でもない、評論でもない、作品でもないものとしての批評の自意識から発せられる一つの極限の言明がある。それは学問ではない。なぜなら、学問とは自分たちの知的な共有財産への共通した尊重の念を前提に成立している世界であり、そこでは新しい見地は、名前を添えて、学会誌にいち早く掲載されるべきものであることを、誰一人として、疑わない世界であるから。それは評論ではない。なぜなら、それは評論を成立させる基盤としての一般公衆というスクリーンをそもそも信じず、ただの無には自らの映像を投影してもけっしてこのスクリーンにだけは投影すまいという、無名への意志の産物なのだから。またそれは作品ではない。なぜならそれは作り手のエネルギーの結果である作品よりも、そのエネルギーそのものを上位におく精神の産物であり、その意味では「不毛であること」への意欲の産物なのであるから。

小林秀雄の一人二役

ところで、この「ムッシュー・テストと劇場で」を最初に訳したのは、三十歳の小林秀雄である。

先に引いた岡潔との対談でも、六十三歳の小林が、「やさしいことはつまらぬ、むずかしいことが面白いということが、だれにでもありますま」「むずかしければむずかしいほど面白いということは、だれにでもわかることですよ。そういう教育をしなければいけないとぼくは思う」と述べている。ヴァレリーが『ムッシュー・テスト』を書いたときと、あまり変わらないが、小林には小林の事情があったと見るのがよい。ヴァレリーがやったことを日本でそのままやったのは、小林である。しかしその小林は、ヴァレリーのこの『ムッシュー・テスト』を訳し(「テスト氏」『小林秀雄全集』第三巻、新潮社、二〇〇一年)、またサント・ブーブの『我が毒』を訳している(同前、第六巻、二〇〇一年)。サント・ブーブからヴァレリーまで、生年でいってフランスでは六十七年の差があるが、小林は、一人でこの二人が行ったことを、いわば一人二役でこなすのである。

つまり、批評を独立した一般公衆相手の読み物へと成長させ、山の裾野を広げる一方で、それと同時に、今度は批評をその一般公衆とのつながりから切断し、学問とも評論とも作品とも異なる、すべてを面会謝絶するかのような思考の結晶体へと凍結する。

ここで小林に目を移しておくと、それは、ヴァレリーから離れた小林自身の批評的命題としては「社会化されえない私」という主張に結実している。

「私小説論」と非社会化

日本の私小説は、西欧社会における個人の社会化をへていない。マルクス主義は、はじめてこの意味の「社会化」を日本にもたらす契機となりうるところに可能性がある。しかしいま新たに西欧にもう一つの「私小説」ともいうべき「私」という問題に憑かれ、「自意識の実験室」で書かれたとおぼしいジッドやプルーストの小説が現れようとしている、そのことの意味は、複雑である。

ここに並ぶ二つの「私小説」は、トラックを一周違いで走る、二人の走者のようなものだからだ。西欧社会はむろん個人の社会化の上に成っている。しかしその個人の社会化はゆきわたるや西欧社会を空疎なものに変え、「実証主義思想」によってすっかりそこに生きる市民の「人間性」を形式的なものにしてしまった。そこから再び人間性を「再建」しようとする焦燥から、西欧の「私小説」は生まれてくる。

すなわち、日本の「私小説」はいまマルクス主義の洗礼を受け「社会化した私」になろうとしている、その前近代的残滓としてあるのだが、西欧の「私小説」は実証主義の洗礼を受け、すっかり社会化してしまい、空疎化してしまった「私」のなかに、再び真空のように「社会化されえない私」の空間を作り出そうという、いわば後近代的な企てなのである。

これが一九三五年に書かれる小林の「私小説論」の主旨である。

この評論は、これまでずいぶんと誤解されてきた。人は「私の社会化」ないし「社会化された私」の問題をここに見てきたのだから。しかし、無理もない。小林自身すら手こずっている。ここには、一方で「私の社会化」という近代的課題の重要さを示しつつ、他方、さらにその行く手にある、来るべき「私の非社会化」というポスト近代＝現代的な課題をも視野のうちにおさめようとする小林の「一人二役」的な苦渋の姿勢が、よく出ているのである。

ここでさらに余談。日本の批評は、いくつにも骨折している。読みづらい。たとえば筆者がこの小林の「私小説論」であるとか、あるいは吉本隆明の「転向論」(一九五八年)であるとかを、日本語で書かれた批評の傑作であるというと、それを読んだ若い読者が、まったく論旨不明瞭で、よい批評だとは思えないと率直な感想を返してくる。しかし、日本の近代の批評は、そのすぐれたもののことごとくが、この小林のように、一人二役か、一人三役を引き受けさせられて成っている。ボクシングでいったら、世界タイトルマッチ。その第十二ラウンド。そこでの試合が、日本の近代批評の傑作の舞台なのである。

だから、先生、おかしいですよ、あれもう、よれよれじゃないですか、まったくパンチがあたっていない、ひどいよ、これ、などといってはいけない。第一ラウンドの試合ぶりを見たかったら、そういうものもある。見事な思惟の展開が見られる。しかし、山でいったら山頂近く。日本の近代批評は、その突端では、いつも、空気の薄いところで、百メートル進むのにも五時間かかるといった、よれよれの歩行中なのだ。これらのことばがそのように見えてくる視力を養うことも、必要な批評的修養になってくる。

ふつうの人間そして生活者

さて、無名性の問題は、そのような形で日本には最初に現れてくる。

そういう問題がその後、どこにいくのか。

筆者の思い出を語ると、まだ学生のころ、たまたま『三田文学』という雑誌を覗いたら文学者へのインタビューが載っていたが、その未知の若い聞き手が江藤淳、大江健三郎、安部公房、三島由紀夫といった面々を前に、いや自分はふつうの人間なもので文学のそういうところがよくわからない、といった口吻をしばしば洩らしつつ、聞き取りを続けるさまに、何か慇懃無礼というまではいかないけれども、そういう大小説家を向こうにして一歩もひかない、無名者としての気概のようなものを感じた。聞き手の名前は、秋山駿という。

一九六八年のころである。三島へのインタビューの冒頭部分。

ぼくは、三島さんの世界に、意識して近づかないようにしていたことがあります。

というのも、その中には、何か特別なもの、異常なもの、豹のように能力をもったものがあって、それが、人間の力は普通の行為を一歩一歩積み重ねることだという、自分の考えを混乱させるのです。ぼくは普通の人間です。そして三島さんは特殊な人間のように見えるものですから、また、その点にこそ、制作するという行為や人間の光と影の部分があるようですから、いつかゆっくり考えてみたいと思っておりました。

（『対談・私の文学』講談社、一九六九年）

三島はそれに、答えている。これも死の二年前にある大小説家の年少の批評家への応対としては異例か。

「太陽と鉄」を読んでくださったそうで、大変うれしかった。僕はあれを読んでもらえばいいんですよ。

（同前）

ちなみにいうと、このインタビューには「ぼく」と「僕」が混在する。ほかの回も同様なのだが、先に述べたような対談というものの作られ方に照らしてみると、「僕」が「ぼく」になっているところは、少なくとも質問者秋山に関しては、後に手の入った程度が大きいことの指標として読める。三島への冒頭部分のインタビューの「ぼくは普通の人間です」には、ヴァレリー、小林の語感が宿っているのである。

その十二年前、一九五六年に二十三歳の白面の批評家が書いた夏目漱石論が、サラリーマンというか、ふつうの人間、生活者から見たら、文学者なんて、ずいぶんと奇妙な存在なのではないか、と述べつつ夏目漱石像を完全にひっくり返して、それまでの文学畑の人間を驚倒させたこともある。これは江藤淳の出発時の著作だが、筆者がこれを読むのは一九八〇年をすぎてから、だいぶ後のことである。しかし、そこには、生活者、俗人のうちにヴァレリーの無名人を見ようとする、新しい目がある。（ムッシュー・テストは株取引人でもある。）

> 花袋は、藤村は、そして彼らの亜流は、孤独を仮設することによって、はじめて近代的な文学を書き得た。しかしそれらはそれ故に誇るに足る孤独であった。（中略）現実は彼らの信仰によって巧みに歪められ、生活は暗に蔑視され続ける。生活者は俗物であり、彼らはそこから絶縁された自らの使命を誇るのである。（中略）
> 　このような近代芸術の使徒達ほど、「行人」で漱石の描いた孤独とかけ離れたものはない。すでに指摘したように一郎の孤独は、一種の非人間的な孤独であった。しかしそれにもかかわらず、ここに描れているのは生活者の孤独――あるいは生活者たらんとして、生活者たり得ぬ者の孤独である。
>
> （『夏目漱石』東京ライフ社、一九五六年）

さまざまな形で続く日本の文学世界における人間観の更新の起点に、たぶん、この「社会化されえない私」――「生活者たらんとして、生活者たり得ぬ者」――の、小林秀雄による提示がある。ふつうの人間、生活者、ここにも一種の無名人の発見があるのである。

ムッシュー・テストと『徒然草』

批評は近代になって、批評にしかできない道を模索するようになる。公衆、一般読者、世間の出現が、評論というものをはっきりと世の中に成立させるのだが、すると評論を書くもののなかに、いや、自分は無名の人間として、考えたい、という存在が生まれてくるのである。

しかし、そうだとすると、この「ムッシュー・テスト」は、『徒然草』の作者にも似てくるのではないか。ヴァレリーの唯一の小説は、『徒然草』に近づくのではないか。事実、小林の訳には見えなかった穏やかで深い息づかいが、清水の新訳からは浮かびあがってくる。

それは、透明な生活を営んでまったくひとめにつかず、孤独に生きて、世のだれよりも先がけて理を知っているひとたちだ。無名に生きながら、彼らはいかなる著名な人物をも二倍に、三倍に、数倍にも偉大にした人物だとわたしに思えた、――幸運をつかもうと、独自の成果を挙げようと、それを世に示すことなど軽蔑している彼ら。思うに、自分は、そこらへんにあるものとはちがう、などと考えるのは拒んだことだろう……

（前掲『ムッシュー・テスト』）

ほかに筆者は、この章に、批評の壊れ、時代を画した批評の問題なども書こうかと思っていた。でも、もういいだろう。書こうと思っていた題目だけをあげ、いわゆる文学としての、批評として書かれた批評の問題は、これくらいにする。

このほか、いつか書いてみたいことは、

ヴァレリー『ムッシュー・テスト』とハンナ・アーレント。

ホーフマンスタール「チャンドス卿の手紙」。

ライナー・マリア・リルケ『マルテの手記』。

リチャード・ブローティガン『アメリカの鱒釣り』と『徒然草』。

北村透谷「人生に相渉るとは何の謂ぞ」論争。

石川啄木「時代閉塞の現状」。

坂口安吾「文学のふるさと」「日本文化私観」。

福田恒存「平和論にたいする疑問」。
吉本隆明「転向論」と「コム・デ・ギャルソン」論争。
石原吉郎のシベリア体験への吉本隆明の言及。
江藤淳『夏目漱石』と村上春樹『風の歌を聴け』。

Ⅳ　ことばの批評

1　批評のことばはなぜ重く難しいのか

批評が重かったころ

ここまでやってきてようやく、わかることがある。
なるほど。批評は多くの、大きな仕事もしてきた。
でも、いまいったい誰が、そういうものを読むのか。
そういうものはいま、どんな形で、人々の生活と関係をもっているのか。
批評なんて、いまでは誰も知らない。
そんなものがなくても、誰もかまわないのだ。
そもそも批評って何だろう。
本屋に行ってみよう。
いわゆる批評が多くの若者の心をとらえていた一九七〇年前後から一九七五年前後に

かけ、もしいまあなたが本屋に足を運んだら、書架に並んでいる批評のタイトルは、このようなものだった。

桶谷秀昭『近代の奈落』(一九六八年)
磯田光一『殉教の美学』(一九六四年)
村上一郎『浪曼者の魂魄』(一九六九年)
谷川雁『原点が存在する』(一九五八年)
橋川文三『日本浪曼派批判序説』(一九六〇年)
吉本隆明『言語にとって美とは何か』(一九六五年)、『共同幻想論』(一九六八年)
秋山駿『無用の告発——存在のための考察』(一九六九年)
川村二郎『限界の文学』(一九六九年)
高橋和己『わが解体』(一九六九年)
柄谷行人『畏怖する人間』(一九七二年)
内村剛介『流亡と自存』(一九七二年)
埴谷雄高『幻視のなかの政治』(一九六〇年)
羽仁五郎『都市の論理——歴史的条件-現代の闘争』(一九六八年)
鶴見俊輔『限界芸術論』(一九六七年)

竹内好『予見と錯誤』(一九七〇年)
松本健一『若き北一輝――恋と詩歌と革命と』(一九七一年)
寺田透『ランボー着色版画集私解』(一九七〇年)
松永伍一『底辺の美学――民衆の創造的エネルギーとその矛盾』(一九六六年)
太田竜『辺境最深部に向って退却せよ!』(一九七一年)
渋澤龍彦『夢の宇宙誌――コスモグラフィアファンタスティカ』(一九六四年)
宮川淳『鏡・空間・イマージュ』(一九六七年)
天澤退二郎『宮沢賢治の彼方へ』(一九六八年)
ノーマン・メイラー『ぼく自身のための広告』(一九六二年)
ウィルヘルム・ライヒ『性と文化の革命』(一九六九年)
モーリス・ブランショ『文学空間』(一九六二年)
ジャン=ポール・サルトル『想像力の問題』(一九五五年)
アンリ・ルフェーブル『都市への権利』(一九六九年)
ジャン・ポーラン『タルブの花――文学における恐怖政治』(一九六八年)
アンドレ・ブルトン『シュールレアリスム宣言』(一九六一年)
シャルル・フーリエ『四運動の理論』(一九七〇年)
レオン・トロツキー『裏切られた革命』(一九六九年)

ジョルジュ・バタイユ『文学と悪』(一九五九年)
ガストン・バシュラール『蠟燭の焰』(一九六六年)
アントナン・アルトー『神経の秤・冥府の臍』(一九七一年)

ちなみにこのころ筆者ははじめて評論というものを雑誌に書いている。ちょっと恥ずかしいが、白状すると、そのタイトルはなんと、「最大不幸者にむかう幻視」という。この原稿を書いているときのことはよくおぼえている。原稿執筆の途中で三島由紀夫の自裁のニュースがとびこんできたからだ。その冒頭。

すべては、ぎんなんの腐臭漂う銀杏の樹のしたで病んでいる。誰ひとりとしてこの病いから免れることはできず、また誰かひとりをこの病いに残して救われる、ひとりの人間としてこの世にはいない。つねに救われえぬ最後のひとりによって、この救いは否定される。

(『現代の眼』一九七一年一月号)

どうだ。暗いでしょう。重いでしょう。とはいえ、筆者もほんの数年前までは、けっこうこの世の中を面白がっていた。新宿はそのころ「アングラ」という新風俗とフーテンの街だった。そのときは同時代の日本の批評なんて、知りもしなかった。新宿の名画座とジャズ喫茶に出入りし、フランスの小説や批評を読み、たとえばこんな文章を書いていたのである。

> ぼくはわたしではない。そして、この覚書を書こうとしているぼくは、ぼくとわたしとを包み込んでいるにしても、決してぼくでもわたしでもない一個の沈黙体だ。
>
> （「ソレルスに関しての試み」『変蝕』第一号、一九六八年四月）

それが数年のあいだに、一九六八年あたりを境に、ぐんぐんと世界の空気が変わる。一九七一年一月。先の雑誌の特集は、「現代の〈危険思想〉とは何か」。名を連ねているのは村上一郎、内村剛介、平岡正明、佐々木幹郎、倉橋健一、伊東守男、松下昇といった人々。特集巻頭の村上一郎は、原稿執筆の中途で三島の自裁を知ったと書いて、そこに配られた「檄文」を全文載せ、これは北朝鮮に亡命した「赤軍派だか何だか」の思想とはまったく違う、と述べている。この人はまた、五年後、自宅で日本刀を用いて自殺している。

批評のことばは、このあたりから一段と重くなる。暗くなる。というか、重く、暗いことで、若い読者をひきつけはじめる。

批評が難しかったころ

むろん批評はいつも重かったのではない。右にあげたなかでもたとえば寺田透の文章などは密度こそあったけれども、重いというより硬質な文章だった。鶴見俊輔の文章は重くはなかった。ちょっと変わった論理性への関心の強い文章だった。批評のことばはその後、平明になる。軽くなる。しかし同時に若い人の手から離れる。しらけの時代ということがいわれ、若い人は批評を読まなくなる。

小説も。

詩も。

ことばがふたたび若い人をひきつけるようになるのは、難しさと新しさの外観を身にまとい、またまた批評が読みにくいものになってからである。厄介なことに、わかるよりは、わからないほうが、ことばは人をひきつけるのである。

一九八〇年代の半ば、先に見たようにニュー・アカ(ニュー・アカデミズム)ブーム、現代思想ブームの到来。もしそのころ、あなたが本屋に足を踏み入れたら、批評のための書架には、このような書物が並んでいたはずである。

山口昌男『文化と両義性』(一九七五年)

宇波彰『引用の想像力』(一九七九年)

丸山圭三郎『ソシュールを読む』(一九八三年)
中村雄二郎『共通感覚論――知の組みかえのために』(一九七九年)
栗本慎一郎『幻想としての経済』(一九八〇年)
広松渉『事的世界観への前哨――物象化論の認識論的＝存在論的位相』(一九七五年)
吉本隆明『マス・イメージ論』(一九八四年)
前田愛『都市空間のなかの文学』(一九八二年)
渡辺守章『虚構の身体――演劇における神話と反神話』(一九七八年)
蓮實重彥『表層批評宣言』(一九七九年)
柄谷行人『日本近代文学の起源』(一九八〇年)
浅田彰『構造と力――記号論を超えて』(一九八三年)
中沢新一『チベットのモーツァルト』(一九八三年)
上野千鶴子『構造主義の冒険』(一九八五年)
トマス・クーン『科学革命の構造』(一九七一年)
ジャック・デリダ『根源の彼方に――グラマトロジーについて』(一九七二年)
ジョナサン・カラー『ディコンストラクションⅠ・Ⅱ』(一九八五年)
フェルディナン・ド・ソシュール『一般言語学講義』(一九七二年)
テリー・イーグルトン『文学とは何か――現代批評理論への招待』(一九八五年)

ヤコーブ・フォン・ユクスキュル『生物から見た世界』（一九七三年）
クロード・レヴィ＝ストロース『野生の思考』（一九七六年）
ジャン・ボードリヤール『消費社会の神話と構造』（一九七九年）
ジュリア・クリステヴァ『セメイオチケ1――記号の解体学』（一九八三年）
ドゥルーズ＝ガタリ『アンチ・オイディプス――資本主義と分裂症』（一九八六年）
ダグラス・R・ホフスタッター『ゲーデル、エッシャー、バッハ――あるいは不思議の環』（一九八五年）
ジャック・ラカン『エクリ』（一九七二年）
ロラン・バルト『テクストの快楽』（一九七七年）
ミハイル・バフチン『言語と文化の記号論――マルクス主義と言語の哲学』（一九八〇年）
スーザン・ソンタグ『隠喩としての病い』（一九八二年）
ミシェル・フーコー『言葉と物――人文科学の考古学』（一九七四年）

この本の冒頭に書いたように、さすがに筆者にとってこの批評の魅力(?)との出会い――「新しい知」との出会い――は、これが二度目だった。一度目が一九六八年、二度目が一九八三年。むろん一度目の波も二度目の波も同じように摂取していく人々もいるにはいた。何ら悪いことではない。しかし、筆者にはこれは、いやだった。繰り返しというものがいやだったのだ。

徒手空拳で、自分の力で考える。

それが筆者にとっての批評の原理になった。本を読まないでみる。その代わりに考える。やってみるとそれが別種の筋肉を使う、思考のエクササイズであることがわかってきた。

山の頂、山の麓

ここから一つわかることがある。批評というものはやっかいな性質をもっている。それはときおり山頂の部分が重くなったり、難しくなったりする。山の頂が新しい外観をもつことでこれまで何も知らなかった若い人たちをひきつける。しかし、その同じ理由でやがて人に飽きられ、あきたらなく感じられる。すると、沈む船からネズミが逃げ去るみたいに、人はその山からいっせいに、目につかない形で下山するのだ。

山の懐にも麓にも、批評は生きている。けれども批評というと、つい山の頂のことだと思われてしまう。しかしそれにはそれなりの理由がある。山の頂にはいつも希薄な空気がただよい、零下三十度くらいの風が吹いている。どこがその厳しいところかがすぐにわかるのだ。しかし山の麓の批評にも実は厳しいところがある。ものを考えるという行為には、つねにある「つきつめ」を強いるところがあるからだ。ただ、この常温と平熱の世界に生きる批評は、そのどこが「零下三十度の風」なのか、容易にはわかりにくい。それでなあんだ、とばかり、人に馬鹿にされる。

小林秀雄は『徒然草』について、書いている。

「徒然なる儘に、日ぐらし、硯に向ひて、心に映り行くよしなしごとを、そこはかと無く書きつくれば、怪しうこそ物狂ほしけれ」。「徒然草」の名は、この有名な書出しから、後人の思い付いたものとするのが通説だが、どうも思い付きはうま過ぎた様である。兼好の苦がい心が、洒落た名前の後に隠れた。一片の洒落もずい分いろいろなものを隠す。一枚の木の葉も、月を隠すに足りる様なものか。

（「徒然草」『小林秀雄全集』第七巻、二〇〇一年）

ここでは「洒落」が常温、「苦がい心」が零下三十度の冷たい風である。小林は、一見常温のように見える『徒然草』に零下三十度の批評の頂を見なければならないといっているのである。どうしてもそうなってしまう。そうなりやすい。『徒然草』とは何か。

純粋で鋭敏な点で、空前の批評家の魂が出現した文学史上の大きな事件なのである。

僕は絶後とさえ言いたい。(中略)西洋の文学が輸入され、批評家が氾濫し、批評文の精緻を競う有様となったが、彼等の性根を見れば、皆お目出度いのである。「万事頼むべからず」、そんな事がしっかりと言えている人がない。(同前)

「物が見え過ぎる眼を如何に御したらいいか、これが「徒然草」の文体の精髄である」。兼好は利き過ぎる腕をもったばかりに鈍刀を必要としたのだと、小林はいう。この文章は、このように終わっている。

鈍刀を使って彫られた名作のほんの一例を引いて置こう。これは全文である。「因幡の国に、何の入道とかやいふ者の娘容美しと聞きて、人数多言ひわたりけれども、この娘、唯栗をのみ食ひて、更に米の類を食はざりければ、斯る異様の者、人に見ゆべきにあらずとて、親、許さざりけり」(第四十段)

これは珍談ではない。徒然なる心がどんなに沢山な事を感じ、どんなに沢山な事を言わずに我慢したか。(同前)

『徒然草』とは何か

しかし、筆者は、生意気をいうようだが、ここで兼好がたくさんのことをいうことを我慢したのだとは思わない。ここからたくさんのことを感じ、「言わずに我慢し」ているのが小林だということはわかる。たぶん小林は、山の頂だけに生きるような心は、ダメだ、心もことばも米を食べないで栗だけ食べるというのでは先がない、とこれを書くまでのどこかの時点で、人としても、批評家としても、ひしひしと感じたことがあるのだろう。そうかもしれない。そうでないかもしれない。その場合これは批評のことでもあるけれどもそれだけではない。人の生き方のことである。

ふつうのことをふつうにいう。それがどんなに大事なことかと、ちょっとふつうではない言い方で、小林はいうのだ。

しかし、兼好は、この栗を食べる美女のことを珍談として書いている。筆者などにはこの話はこれだけならそれほどその面白さはよくわからない。小林がこう書くと、小林はこれをこう読んだのだな、ということはわかるが、兼好については、わからない。

しかし、筆者は、『徒然草』のこういうところ、ふつうのことをふつうにいう。その先のことは、相手がわかるまで待っているという風情が、よいと思う。わからなければわからなくていい。いつかわかるかもしれないし、わからないかもしれない。でもわからなくとも、そんなに大したことではないよ、とそれはいってくるのである。

しかしこのことが、この場合、兼好の「批評」なのではないだろうか。

平熱の「つきつめ」なのではないだろうか。

批評と学問の違いは、こういうところにもある。学問は、問いがあれば、それに答えなければならない。しかし批評はそうではない。ある問いがあり、それについていくら考えてもわからない。その場合にはそのわからないということをもしっかり書ければ、それはすぐれた批評となる。わからないということも、わかるということと同じ、理解の形だからである。

一八三二年、エヴァリスト・ガロアは第五次方程式は解けない、ということを証明した。誰もがこれを解ける、という前提のもとに何とかこれを解こうとして果たせなかったのだが、彼はいわば「わからない」ということを精緻に書こうとした。そうすることで、この問いに答えたのだといえよう。

わかる、わかったということを書くことと、わからない、わからなかったということを書くこととは、いずれが困難か。そこに優劣はない、というのが筆者に『徒然草』の教える答えである。

批評が平明だったころ

批評はこれまで晴れときどき曇りの曇りのように、ときどき、平明だった。平明であるとは批評が難しくも重くもないということであり、時には批評でないということだった。だからそれはエッセイとか随筆とか、評論と呼ばれた。

しかしいまは批評が平明であることを歓迎される時代である。珍しい、のだろうか。これまで難しかった。そういう時代が二十年も続いた。その反動と見られなくもない。しかしいま人々の前に姿を現しているのは、少なくとも六〇年代後半から七〇年代前半にかけての思想と革命と情念の重い批評の時代、八〇年代半ばからほぼ二〇〇〇年にかけての脱構築とテクスト論と精神分析の難しい批評の時代を生き抜いた、顔を見るとたいていへらへらと笑っているけれども、その実たくましい、「へなちょこ」批評、平明で、やさしい批評であるように見える。

いまあなたが本屋に行ってみるなら、そういう批評として、こんな名前が並んでいる。

橋本治『これで古典がよくわかる』(一九九七年)
内田樹『おじさん的思考』(二〇〇二年)
荒川洋治『忘れられる過去』(二〇〇三年)
坪内祐三『古くさいぞ私は』(二〇〇〇年)
河合隼雄『ナバホへの旅たましいの風景』(二〇〇二年)
川本三郎『荷風好日』(二〇〇二年)
池澤夏樹『楽しい終末』(一九九三年)
吉本隆明・大塚英志『だいたいで、いいじゃない。』(二〇〇〇年)

高橋源一郎『文学がこんなにわかっていいかしら』（一九八九年）
竹田青嗣『自分を知るための哲学入門』（一九九〇年）
市村弘正『読むという生き方』（二〇〇三年）
みうらじゅん『新「親孝行」術』（二〇〇一年）
リリー・フランキー『日本のみなさんさようなら』（一九九九年）
鶴見済『無気力製造工場』（一九九五年）
赤瀬川原平『老人力』（一九九八年）
藤森照信『タンポポ・ハウスのできるまで』（一九九九年）
南伸坊『本人の人々』（二〇〇三年）
佐野洋子『神も仏もありませぬ』（二〇〇三年）
小倉千加子『結婚の条件』（二〇〇三年）
岸田秀『ものぐさ精神分析』（一九七七年）
富岡多恵子『西鶴の感情』（二〇〇四年）
辻征夫『詩の話をしよう』（二〇〇三年）

やさしい批評だから、やさしいことを扱っているわけではない。やさしい批評は、重かったり、難しかったりする批評より、ずっと高度な場合も多い。やさしい批評を書く。

平明な批評が書かれることで、はじめて見えてくる批評の難問もあるのだ。

2　なぜやさしいことも難しいのか

やさしいことばも難しい

難しい問題に入る前に、どういうことばが簡明な批評のことばとしていま筆者の念頭にあるかにふれておこう。これまでにもだいぶシンプルなことばにふれてきているが、まだふれていない側面を一瞥しておく。

どんなときにも重くない、難しくない、そういう批評のことばを書く人が存在している。広く探せばたくさんいるだろう。しかし筆者の書架の周りにあるのはこんな人々の本である。

たとえば、

ボクは文壇事情を知らないから時々失敗してしまうのだ。

「知らないっても、アナタは常識程度のことさえ知らないからダメだよ」と、よくヒトに云われる程知らないのだ。(早く一人前にならなければ)と思って、一人前になるまでは、あまりモノを云わないことにしているが、相手が親切に話をしてくれると、後で冷汗をかくような失敗をしてしまって、そのたびに云わなければよかったのにと後悔するのだ。

とはじまる『言わなければよかったのに日記』(中央公論社、一九五八年)。『楢山節考』を書いた直後の見聞を記す深沢七郎のエッセイで、『楢山節考』を大絶賛してくれた時の大御所正宗白鳥との交遊などが描かれている。

正宗先生にはいつも失敗ばかりだ。まずいことばかり云ってしまって失礼なことばかりだ。だいたい、一番はじめに先生の千束のお宅へ行った時、お庭に池があるとばかり思って行ったのだが、池などないのである。(変だな?)と思いながらドアの前に立った。お庭は広く、山の中にあるような高い木があるけど池がないのは意外だった。(この先生と白鳥では、どんな関係があるのだろう?)と不思議に思った。ボクはバレーの「白鳥の湖」か「瀕死の白鳥」に関係のある人か、白鳥の好きな人だとばかり思っていたのに。

椅子に腰かけて話をして下さるのを聞いているうちに気がついたのは、銘酒で有名な菊正宗の本家の跡取り息子にでも生れた人ではないかと思った。そんなふうな、大家の家柄の生れの人だと気がついた。そう思えば先生の生れた家には白鳥が住ん

でいるような池があるような気がしてきた。念のために、

「先生は酒の……、菊正宗の……?」

と伺うと、

「ボクはそんな家とは何の関係もないよ」

とおっしゃった。今、考えても、まずいことを云っちゃって、と悔んでいる。


(同前)


深沢七郎は、ただのほほんと暮らす小説家ではない。(ただのほほんと暮らすのが物足りないという意味ではない。念のため。)一九六〇年に「風流夢譚」を発表して出版社社長宅が右翼の少年に襲撃され、家政婦の女性が死亡、夫人が重傷という事件となったときには、数年間、孤立し、日本国内を隠れ住むという経験をしている。「風流夢譚」が破天荒の皇室批判を含む小説である以上、深沢はけっして批評性をもたない書き手ではない。(皇室批判がなければ批評性がないという意味ではない。念のため。)しかしそのことばは重くもなければ、難しくもない。この人はいつもこんなふうで、変わらない。平明だが、小林のいう米を食べる人の平明さではない。栗しか食べない人なのだ。

ふつうの人の平明さは、難しいと平明と二つをもったうちの平明の領域なのだが、この人は難しいという部分を最初から、ギロチンで捨ててしまっている。パリにサン・ド

ニという通りがあって、これはひところは売春街として名高いところだったのだが、その名前の起源になった聖ドニというお坊さんは、首を切られた後、その首を手に抱えて寺院まで戻ってきたとかいう人である。この平明な人は、首をなくしたお坊さんと似ている。自分の首をポーンと捨ててしまっていて、首なしで歩いている。そういう平明さ、いってみれば夜のない白夜のような平明さである。

平明な人は恐ろしい

この人の晩年について書かれたものを読むと、恐ろしい。いろんな知人が数名を除いてすべて絶交を言い渡されている。「桃栗三年、アキ八年」、長くいると、飽きるからなあ、というのが口癖で、よく庭の木なども切り倒しては、お風呂の焚きつけにして、いい気味だ、といっていたようである。何か、文学世界の座頭市みたいな人。この人の家、「ラブミー牧場」の入り口にはボクサー犬が二匹いて、玄関をあけるとこういう貼り紙がしてあったという(嵐山光三郎『桃仙人――小説深沢七郎』メタローグ、一九九五年)。けだしこの人の批評の精髄か。

突然来た人はここから帰れ
前に訪問を諒解した人だけ入ること

写真は15分以内のこと
カメラマンは、ポーズを作れというな
原稿は原稿料をはっきりと
出版は印税のパーセントを先にいうこと
用件は紙に書いて出すこと
連れこみ客は迷惑ですから戸の外へ
時間待ちの運転手は部屋に入っても、こちらの用件に口をはさむな
用件を話したら、すぐ帰ること
用件の返事はすぐ出来ません。あとで返事をするから、お帰り下さい

力がなくなることも、力。

深沢七郎の『言わなければよかったのに日記』の文庫本の解説を小説家の尾辻克彦、芸術家の赤瀬川原平が書いている(中公文庫)。この人もいまはのほほんとしているが、一九七〇年前後には前衛芸術家として千円札とまったく同じような作品を展示して、紙幣偽造の廉で告発され、裁判闘争の渦中にあった。詳しいことは知らないが、筆者はこの人の離婚をめぐるだいぶシリアスな小説も読んだ気がする。しかしその批評言語は、次のような具合で、そのときもいまも、変わらない。重くも難しくもない。風に、軽く、

やさしげな柔毛をそよがせている。

深沢七郎といえばもちろん「楢山節考」であり、チャックといえばＹＫＫという感じで一体となっている。（中略）

で凄いなあと思っていた。

その深沢七郎に会う機会があって、それは一九六一年ごろの「ネオダダ」という前衛グループの展覧会場だったと思う。その仲間にたまたま深沢七郎と知り合ったのがいて、そこに深沢七郎は呼ばれて来たのだ。アノ「楢山節考」の作者だというので、そんな人がこんな画廊などに来るのだろうかと疑っていた。そうしたら乾物屋か古着屋のおじさんみたいな人が、たしかゴムゾーリをつっかけて、

「あ、だうも……」

という物凄く軽薄な浮いた挨拶の言葉つきであらわれたので、驚いた。まさかと思うのだけど、それがどうしても深沢七郎なので、ぶったまげた。私はこっそりと顔が赤くなったような気がする。自分で勝手に作り上げていた重々しい深沢七郎像に恥じ入ったのだ。その深沢七郎像に、自分の中のステロタイプがのぞいて見えたのだろう。

（「深沢七郎の透明日記」、同前）

右の中略のところでは信頼する知り合いが褒めていたので凄い小説だと思っていた、「読書の無器用なものは、そうやって本の内容を知るのである」とあり、それまで『楢山節考』なんか読んでいなかったことを白状している。この人は何でもあっさり白状する。まず白状ありき。この後『老人力』という本を書いて、ボケることが力だと最初にいって高齢化社会の扉を開けた。力があることも力だが、力がなくなることも、そのことが力だと、はじめて指摘したのである。

頭がいいことと、批評とのあいだに関係があるとすれば、こういう人が、頭がいい、批評の力をもつ人なのだといえよう。難しいことを考え、難しいことをいう人は、批評的には、簡単な人である。何を考えているのかすぐにわかる。批評的に難しい人は、何を考えているかわからない。こういう人の書くものは、平明だが、難しくて、読んでいると、面白い。

批評がまだ難しくなかったころ

また、難しい批評がないときの批評には、いまの平明さにはない平明さがあった。昔、批評はもっともっと率直で単純で簡単だった。批評はそんなにたいしたものではなく、小説の付属物で、ばかばかしいものだと思われていた。しかし、批評はそもそもが、そういうものなのではないだろうか。このことに反旗をひるがえし、いまのように人に尊敬されなければ批評ではない、といって新しい批評を作り、若い人々をこぞって批評家志望にさせた人が小林秀雄だったわけだが、それ以前の批評には、まだそんな自意識はなかったのである。

むろん小林による批評の確立は、彼でなくとも誰かによってやられずにはすまなかったものなのだが、しかし、それによって、失われたものもないわけではない。

以前、テレビが世に現れる前のマンガの復刻版、実際に見たのは『矢車剣之助』だったが、これを見て、その面白さになつかしさとともに驚きも感じたのだが、そういう面白さがいまのマンガからは消えていることに気づいた。何しろ、時代は江戸、それなのに出てくるのは「夜の大統領」なのだ。いくら何でもいまの小学生なら、江戸時代に大統領は、おかしいじゃないか、と思うだろう。しかし筆者は、これを小学生のガキで読んでいたとき、まったく違和感なしに読んだ。

面白かった！

そういう世界があったのである。

これと同じく、小林以前の批評にもその後失われた簡単さ、そっけなさ、正直さがある。むろん誰にでもあるわけではない。それは当然である。そのころ、文芸評論は単刀直入だった。ぶっきらぼうだった。乱暴だった。人をひきつけていたかどうかは知らない。でも、そんなことにはおかまいなし。批評はもっとマイナーで、もっと批評的だったのである。例の、正宗白鳥。

今、「葛西善蔵全集」を披いて、幾つかの短篇を続けて読んで、私はウンザリした。「暗鬱、孤独、貧乏」の生活記録の繰り返しであって、それが外形的にも思想的にも単調を極めている。「私の一番悲しく思うことは、貧乏であること、そしてその貧乏に打克ってグングン金持になって行けるほどの豊富な創作力を恵まれていないということである」と、自分で反省しているが、その通りであって、氏の創作力の貧しさに、私は驚いた。とにかく四十余歳までの生涯を文学に托して、呻吟苦悩、こういう作品をこれだけしか書き上げられなかったのは悲惨に感ぜられる。

（「志賀直哉と葛西善蔵」『新編 作家論』岩波文庫）

いやはや。

小林秀雄自身が最晩年はこの文章の書き手である正宗白鳥について書いているから、あるいは小林も、最後にはこういう批評がいい、と思ったのかもわからない。いま筆者も、こういう批評のことばにひかれる。ここにはいってみれば、一般公衆の成立初期、ないし成立以前の批評がある。そしてそのことばは教える。批評とは、これまで誰もいわなかったこと、新しいことをいうなどということとは、まったく違うことなのだ。そういう心の動きの単純さ、そこから横に逃れることなのだ。だから、こういう場所まで戻ってみると、こんなことが気になる。重い、難しい批評のことばの果てに、あの「ムッシュー・テスト」の夢があったとするなら、この平明な批評のことばの果てには、どんな夢があるのだろうかと。

批評のことばの平熱

批評が簡単だということ、それは、単純に簡単だということでもある。簡単なことばというと、やはり勝海舟の座談、勝小吉の話までさかのぼりたい。

勝については、福沢諭吉がひそかに「瘠我慢の説」を書いたときの応答のことばが忘れられない。福沢が、勝の江戸城の無血開城とその後の身の処し方(勝は明治新政府に士官した)を批判した「瘠我慢の説」を書き、いずれこれを公刊するが事実誤認ないし反論があればあらかじめいってほしいと批判対象の勝と榎本武揚に内覧を求めたとき、読んで、ご批判はどうぞご自由に、と返事をしたときのことばである。ちなみに榎本は忙しいので後で読みます、ありがとう、みたいなおざなりな答書を寄せている。一部、筆者の書き直しを加えず紹介する。

昔から政治の任に当たる者では飛び抜けた大人物でないかぎり、人々の批評対象にならないものです。はからずもわたくしの過去の行為に関し、数百言を費やしてのご指摘をいただき、慚愧に堪えず、感謝申し上げます。

さて、行蔵は我に存す、毀誉は他人の主張、我に与からず我に関せず、と考えます。ご批判どなたにお示し下さってもむろん異存ありません。お示し下さった御草稿は手元に置いておきたく、お許しいただければ幸甚です。

（「瘠我慢の説」末尾添付「勝安芳氏の答書」『福澤諭吉全集』第六巻、一九五九年）


もっとも見事な応答と記憶に残る文章だが、ダベリのほうも、率直、簡明、天下一品である。江戸開城談判時の西郷隆盛の人柄について、

西郷なんぞは、どの位ふとっ腹の人だったかわからないよ。手紙一本で、芝、田町の薩摩屋敷まで、のそのそ談判にやってくるとは、なかなか今の人では出来ない事だ。（中略）
当日おれは、羽織袴で馬に騎って、従者を一人つれたばかりで、薩摩屋敷へ出掛けた。まず一室へ案内せられて、しばらく待って居ると、西郷は庭の方から、古洋服に薩摩風の引っ切り下駄をはいて、例の熊次郎という忠僕を従え、平気な顔で出て来て、これは実に遅刻しまして失礼、と挨拶しながら座敷に通った。その様子は、

少しも一大事を前に控えたものとは思われなかった。
さて、いよいよ談判になると、西郷は、おれのいう事を一々信用してくれ、その間一点の疑念も挟まなかった。「いろいろむつかしい議論もありましょうが、私が一身にかけて御引受けします」西郷のこの一言で、江戸百万の生霊も、その生命と財産とを保つことが出来、また徳川氏もその滅亡を免れたのだ。（中略）
この時、おれがことに感心したのは、西郷がおれに対して、幕府の重臣たるだけの敬礼を失わず、談判の時にも、始終座を正して手を膝の上に載せ、少しも戦勝の威光でもって、敗軍の将を軽蔑するというような風が見えなかった事だ。

（『氷川清話』講談社学術文庫）

簡単なことばとは何だろうか。それは寄り道をしないでまっすぐに語られたことばである。どこかで最短距離がたどられている。どこかで糸がぴんと張っている。だからその糸電話を通じて小さな声も聞こえてくる。
でもそれだけではない。もっとここには何かがありそうだ。勝海舟の父親のかなりのワルだった小旗本の勝小吉。その自伝での話しぶりも、同じ美質に富んでいるが、そのプラスアルファを感じさせる。

十二の年、兄きが世話をして学問をはじめたが、林大学頭の所へ連れ行きやったが、夫より聖堂の寄宿部屋保木巳之吉と佐野郡左衛門といふきもいりの処へいって、「大学」をおしえて貰ったが、学問はきらい故、毎日毎日さくらの馬場へ垣根をくぐりていって、馬ばかり乗っていた。「大学」五、六枚も覚えしや。両人より断わりし故に、うれしかった。

馬にばかり乗りし故、しまいには銭がなくなってこまったから、おふくろの小遣又はたくわえの金をぬすんでつかった。（『夢酔独言』平凡社ライブラリー）

勝小吉は江戸末期の人だが、これは表記を改めただけで原文のまま。この人は十四歳のときに家出して、東海道で一文無しになり数カ月、乞食をしている。やたらと喧嘩を繰り返し、三十七歳で隠居、息子の麟太郎（のち、海舟）に家督を譲る。旗本である。

さて、このことばにはある感じがある。

ここからやってくる解放感は、何だろう。

筆者はあるとき、江戸時代の日本のことばにふれていて、とても気持がよかったのをおぼえている。その譬えとか、物の言い方が実に過不足がないという気がしたからだ。そのときは本居宣長と荻生徂徠のものを読んだ。むろんわからないところは説明に助けられて。ここで筆者の直観をいうと、日本のことばは明治になった後、まだ平静を取り戻していない。ということはまだ平熱を回復していない。人の身体に平熱というものがあり、それは一人一人、また日によっても違うけれどもだいたい三十六度五分、それ以上にも以下にもならないように、ことばにも、ある簡明さへの傾きがあって、それ以下になると、もう簡明ではない。そういう平熱というものがある。そのラインを明治以降、日本のことばはまだ回復していない。というか、日本のことばはその平熱を求めて、さまざまに運動を繰り返してきたのではないだろうか。それは明治以降、たとえば現代の日本のことばの名文家などといわれている人のことばを考えると、とても平熱とは思えないので、そう思うのである。日本のことばは完成していない。というより、そもそも、ことばというものが、完成しえないもので、それがことばの力なのかもしれない。

3　なぜことばは二つに分かれるのか

話し言葉と書き言葉

批評のことばのことを考えると、自然に目は話し言葉と書き言葉の違いに向かう。たとえば筆者がこの本を書くにあたって一番頭をなやませたのはこれを話し言葉で書くか書き言葉で書くかということである。余りことばの抵抗を感じずにナチュラルに考えようとするなら、話し言葉のほうがよい。話し言葉で書く限り、批評のことばは重くならない。でも、一方で話し言葉には、同じ語りの調子がどこまでも続くので単調になりやすいというマイナスがある。いろんなレベルの語りを駆使できるという意味では書き言葉のほうがよい。しかし書き言葉はしばしば自由な語りを阻止する。どうしてもことばが重くなりやすい。

何とかことばの重量を変えようと、それまでの書き言葉から一挙に話し言葉に変えた人に前出の中村光夫がいる。中村は、小林秀雄に兄事した人で彼自身すぐれたフランス文学の研究者でもあったから、小林の影響からどう脱するかがたぶん若いころの大きな問題だったろう。事実彼の特に初期の仕事を見ると、文体に陰に陽に小林秀雄の影響が認められる。中村は戦後、一九四七年秋を境に、です・ます体(話し言葉)で書くようになる。彼は二葉亭四迷についての論を都合三度書いているが、たとえば最後に書かれた代表作『二葉亭四迷伝』冒頭は、こう書きだされている。

この五月十日に僕は染井にある二葉亭の墓をたずねました。ふだんは彼の命日をとくに気にかけたことはないのですが、この日の墓詣りは、今年のはじめから心がけていました。

彼が命をおえた四十六歳という齢に、今年僕もなったからで、この記念すべき命日に彼の墓に行こうという独合点の欲求のためです。(『群像』一九五七年一月号)

ふうん。とても変わった話し言葉である。その変わり方を説明すれば、ふだんは書き言葉で書かれるようなことが、です・ます体で書かれている、となるだろう。内容というよりは語り口。じつに興味深い文体である。ちなみに戦前に書かれた「二葉亭四迷評伝」の序は、こうなっている。

彼の著作は僕が自ら招いた青春の苦しみに堪えるため密かに用意した小さな己惚れ鏡であった。身勝手な孤独の寂しさに心の弱まるのを感じるとき、僕はしばしばこの小さな鏡をとりだしては覗き込み、そのなかで彼と会話した。

（『文学界』一九四二年一月号）

墓詣りと鏡のなかでの会話。二つの二葉亭伝の序は十五年をへだててある照応を見せている。ともに序文は書き手中村と書かれる対象二葉亭の出会う場所にふれている。「独合点」と「己惚れ鏡」、中村の自己韜晦を表示することばすら、正確に照応を見せている。

話し言葉と書き言葉と。

外見は違うが、同じ語りが二種の鋳型に流し込まれていると見ることができる。しかしその「異種混合」の結果、先に見たようにじつに変わった話し言葉が生まれている。なぜこういうことが起こるのだろうか。この二つのことばのあいだにはまだ大きな河のようなものが流れていて、両者を隔てている。その河を、中村がざぶざぶと渡河しているのである。

中村の話し言葉がほかの場合と違うことは、中村におけるペンネーム、筆名が、ほかの人の場合と違うということを材料に、ちょっと理解の手がかりを差し出せるかもしれない。それというのもほかの人の筆名採用と、中村のそれとでは、方向がちょうど逆だからである。

先にふれたが、もう大昔、近代文学館に行って芥川龍之介の特異な名刺を見て驚いたとき、じつはもう一つの小さなサプライズがあった。たしか芥川の小学校あたりの成績簿のようなものがあったが、そこに芥川の名が、龍之助とあったからである。とすれば龍之介は筆名だったのか。このときの発見はいまなお確認されていない。どの文学事典にも芥川の本名は龍之介とあるからだ。しかし、このように通常、筆名は、一般人めいたものから、少し文学的(?)なものへの変更、という方向をたどる。簡単にいえば文学者は自分の名前を要はカッコよいものへと変えるのだ。ここまで出て来た批評家の例でいえば、柄谷行人は本名柄谷善男、江藤淳は本名江頭淳夫、正宗白鳥は本名正宗忠夫である。しかし中村光夫の本名は木庭一郎。筆名の中村にも、光夫にも、あまり文学的光彩は感じられない。簡明で一見、平凡にすら見える。本名よりももっと平凡な、どこにもある名として選ばれた筆名。そこでは平凡に見えることが非凡さの証しに、なっている。

養老孟司の撥水言語

話し言葉と書き言葉の違いのうちに横たわっているのはどういう問題だろうか。

ことばに二つの種類があり、ものを考えることにもどうも二つの種類があるらしいことは、誰もが感じている。このことに関して最近面白い経験をした。一九九〇年前後に理系の学者の手で二冊、新しい知見を盛った本が同じ出版社(青土社)からあいついで出版されている。一つは一九八九年に出た解剖学者養老孟司の『唯脳論』、そしてもう一つは一九九三年に出た免疫学者多田富雄の『免疫の意味論』。

ところで、二人の著者は執筆当時ともに東京大学医学部の教官をしているにもかかわらず、その書き方が対照的であることで読者を驚かせる。後で出た多田の本は、非常に読みやすい、しかし先に出た養老の本は、非常に読みづらい。その理由は、多田は理系の人間ではあるのだが、いわば文系の人間が書くような仕方で免疫学の知見をわかりやすく書いている。これに対し、養老は、理系の人間の書き方というものに固執し、いわば文系の書き方に対し、意図して別個の、異質な書き方を突きつけているのである。

なぜ養老はそんな書き方をしているのか。そういう書き方でなければいえないことをいおうとしているからだと思える。たとえば彼は心と脳の関係は肛門と直腸の関係と同じだという。脳をどこまで刻んでも心を取り出せないように、出口近くの直腸を切除しても出口であるところの肛門は取り出せない。それはどこまでいっても直腸である。理由は、心と脳、肛門と直腸の関係は機能(こと)と構造(もの)の関係であって、「もの」なら解剖できるが「こと」は解剖できないからである。

唯脳論は、この素朴な問題点について、それなりの解答を与える。脳と心の関係の問題、すなわち心身論とは、じつは構造と機能の関係の問題に帰着する、ということである。

(『唯脳論』青土社、一九九〇年)

人はしばしば心身二元論で心と身体の問題を考えようとするが、この問題は一元論でしか解けない。自分はこれを解剖できるものすなわち脳一元論の立場に立って考えることにする、と彼はいう。それが養老の唯脳論で、この本はその立場を貫くべく、通常の読み方を撥水する仕方で、書かれているのである。(これを編集者が聞き書きにより、文系のことばに翻訳して出した『バカの壁』以降の一連の本が爆発的な売れ行きを示したのは、周知の通り。翻訳したというよりは、難しいところは全部トバしたのだ、という話もある。しかしそれも立派な翻訳である。）

理系人間のことば論

ところで、その理系のことばで、養老はことばについて、面白いことをいっている。彼によればことばは、そもそもが関係のない二つを一つに「無理に」合わせたところに成立したものだそうだ。それを信じるなら、ことばとは、本質的に安定をもたない存在だということになるからである。

養老によればこうである。

ことばには聴覚で信号をキャッチされるもの(音声)と視覚で信号をキャッチされるもの(文字記号)、さらに触覚で信号をキャッチされるもの(点字の場合)がある。でも主には聴覚と視覚で考えてよいだろう。唯脳論的に考えれば、この二つの刺激、聴覚と視覚とのあいだには相互的な関係がない。だから「むしろいちばん不思議なのは、われわれが、視覚によるものも聴覚によるものも一緒くたにして「言語」と称していることの方である」。

これは、控え目にいっても驚くべき指摘だ。すばらしい。

なぜこういうことが起こっているのだろうか。

光と音という物理的に異質なものからの情報をつなぐのは、おそらく外的必然ではなかったであろう。自然界で、音と光が「連合」することはあまりない。（中略）生物が生きている自然の環境で、音と光は必然的に結びつくものではない。両者が異質であったからこそ、光と音に対する受容器、すなわち目と耳とは独立に発生し、進化した。

両者の連合に関して、強い外的な必然がなかったとすれば、あとは内的な必然である。聴覚と視覚とは、いわば脳の都合で結合したのであり、その結合の延長上にヒトの言語が成立しているはずである。（同前）

視覚を受けとる脳の位置と聴覚を受けとる脳の位置はだいぶ離れている。そう述べてわかりやすくするために、養老は、脳髄の模型的な図をあげている。その図では、脳の離れた二点がそれぞれ視覚と聴覚の刺激の受容野としてマークされ、そこからの二次的以降の刺激の出力が波紋のように示されていて、ちょうど二つの地点に石を投げ込んだ池の波紋の重なりのような絵柄になっている。二つの波紋が重なる部分、つまり「波のぶつかりあいの部分に、言語中枢が位置することになる」。

養老は、ここから推定されることとして、この干渉域（大脳皮質）——二つの波紋が重なる部分——が大きくなければ、というか、存在しなければ、言語は生まれないことになる、という。

こうしたことが可能になるための条件として、視聴覚の一次中枢からの波がぶつかるまでに、複数段階の処理が必要である。したがって皮質は、網膜と内耳という末梢器官に対して十分大きくなければならない。(中略)ゴリラやチンパンジーの網膜や内耳は、おそらくヒトと変らない大きさを持っている。ところが皮質が小さい以上、その皮質はヒトが持つほどの「剰余」を示さないはずであり、それが言語がない理由であろう。(同前)

分裂をかかえた「連合」

養老の説によれば、聴覚・運動系(音声)と視覚・知覚系(文字記号)が重層しうるだけの大脳皮質の「剰余」(=過剰さ)があってはじめてヒトは言語を手にできている。同じく解剖学者養老によれば、「ヒト、現代人つまりホモ・サピエンスは、ここ数万年ほど、解剖学的、すなわち身体的には変化していない」、また、「ネアンデルタール人の段階になると、骨の形が違う」。「この公理的な前提から」どんなことがいえるかというと、「おそらく、ヒトの脳の機能もまた、数万年このかた変化していないはず」で、ということはつまり、言語の本質は、この視覚系刺激と聴覚系刺激の「連合」だということである。

したがって、彼は、たとえ文字言語のない文化における ことば(音声のみ言語)でも、本質的には視覚と聴覚の「連合」として構造化されているはずで、そうであればこそ、そういう文化のなかに「文字記号」が移入されると、すみやかに文字言語が生まれるのであろうという。文字言語の習得によって脳に変化が生じないこと、あるいは言語文化をもつ社会にも同じ脳をもちつつ文字言語をもたない言語活動をしている人々(文盲者)が存在することなどは、その傍証となる。

さて、そうだとすると、言語の本質は、この本来異質な無関係な二つの刺激が「連合」したものだとなる。ゴリラやチンパンジーはその双方の波動が干渉しあうだけ広い大脳皮質の運動場をもっていないため、意思の疎通こそ可能ではあれ、言語はもっていないのだということになる。逆からいうと言語、ことばというものは、単に意思が疎通すればそれで言語だといえるようなものではない。言語は記号とは違う。この養老説から浮上してくる言語観は、空中で放電している青白い光のようなもの、二つの液体が混じり合って生じている化学反応のようなもの、つまり、難しいとか重いとかいう以前に、平明なままで、すでにダイナミックな運動としてある存在なのである。

だからたとえば次に紹介する橋本治の日本語観は、そのまま養老孟司の唯脳論的言語観の日本語ヴァージョンである、といっても、よいのかもしれない。

橋本は『これで古典がよくわかる』(ちくま文庫)という受験生向けに書いたすばらしい古典論で、文字言語をもたなかった日本人、つまり日本列島に住む人々が、中国語という外国語を、一方で外国語として受け入れながら、他方で自分の音声言語を文字化する手がかりとしても受け入れるという、一石二鳥or二人三脚的あり方で受容したため、以後、日本のことばがたどることになった言語の形成過程を、だいたいこんなふうに、シンプルに、語っている。

はじめこの日本列島には音声の言語しかなかった。そこに外国語が入ってきたので、日本の人々はそれを文字として使う一方、外国語としては、それを自分たちのことばに合わせて使いこなした。前者から生まれたのが漢字を文字にして自分たちのことばを書いた「万葉がな」であり、後者から生まれてくるのが、中国語という外国語を日本風に読みこなし、解釈する「漢文」である。一方は音声言語を、文字にしたもの。他方は外国語である文字言語を、音声化したもの。前者、万葉仮名の例は、「茜草指武良前野逝標野行野守者不見哉君之袖布流」、これを「茜草《あかね》指武《さすむ》良《ら》前野《さきの》逝標野《ゆきしめの》行野《ゆきの》守者《もりは》不見《みず》哉《や》君之《きみが》袖布流《そでふる》」と読む。ひらがながないから、漢字を文字として使った。いまふうにいったら、「茜さす紫野ゆき標野ゆき野守は見ずや君が袖振る」、万葉集の額田王の歌である。後者、この後、中国語の日本語読みの結果だいぶしてからだが、生まれてくる漢文の例は、中国語「吾十有五而志乎学」に返り点「レ」とか「一二」をつけたもの。これを返り点等にしたがって「吾十有五ニ而テ学ニ志ス」と読む。しかし当初はここに補ったカタカナというものもなかったから、それは、書かれたことばとしては「吾十有五而志乎学」だった。つまり、日本のことばは、外国語が入ってくると、

「茜草指武良前野逝標野行野守者不見哉君之袖布流」

そして

「吾十有五而志乎学」

という二つのタイプで書かれるようになるのである。

そのうえで、時間のたつにつれ、前者は、漢字を書き崩してひらがなができるとやがてみなそれで書かれるようになる。後者は漢文読解用にカタカナが考案されるようになるとそれを付して書かれるようになる。したがって右の二つが、こう書かれるようになる。

「あかねさすむらさきのゆきしめのゆきのもりはみすやきみかそてふる」

そして

「吾十有五《ニ》而《テ》学《ニ》志《ス》」。

だから平安時代にはまだ「ちゃんとした日本語」は存在していなかった。公用の言語

は、漢文だったから、男は漢字しか使ってはいけなかった。右の後者タイプ。これに対し、ひらがなは女性の書き手が使うようになったが、すべてひらがなで書かれ、『源氏物語』なども最初の形は、ほとんどひらがなばかりで、右の前者タイプ。いずれもとても読みにくいものだった。そうしたなか、男でありながら、女に自分を擬して、しかも「男もするらしい日記というものを女である私が書いてみましょう」というフィクティシャスな設定のもと、書かれたのが紀貫之の『土佐日記』で、ひらがなが公用のものとしてはじめて取り上げられるのが天皇勅撰、やはり紀貫之の序をつけた『古今和歌集』だとなる。

橋本は、たくさんの文章を読みこなしている小説家らしく、『土佐日記』が「男もすなる(男もするらしい)」となっているのは、当時日記は男が漢文で書いた。「女が漢字の本を読んでいるだけでへんな顔をされる平安時代なんですから」「女が男のしていることに詳しかったら、これもやっぱりヘンでしょう」、だから「男がする」ではなく「男もするらしい」という「婉曲表現で始まるのでしょう」と、述べている。

それで、日本は楽になった

ではいまにつながる日本語は、いつ、どのようにして生まれてくるのか。

橋本は書いている。

日本には、「日記」ばかりでなく、「随筆」というものもやたらと多い。「清少納言の『枕草子』、鴨長明の『方丈記』、兼好法師の『徒然草』からはじまって、もうずーっと日本のおじさんたちは随筆を書いてい」る。江戸時代になると、もうそういうものはゴマンとあって、「「メモ」とか「走り書き」とかも含めた「身辺雑記」のたぐいや、自分で勝手に考えた「歴史の考証」とか」でみちあふれる。なぜ日本にはこうも「随筆」が多いのだろう。

平安時代の日本の貴族が書いた「日記」は漢文で、読むのが厄介です。でも、清少納言の始めた「随筆」は「ひらがな」だったんです。「日記は構えて書かなくちゃいけないが、随筆は楽に書ける」という常識を、清少納言という女性は、作ってくれたんですね。それで、日本は楽になりました。つまり、「男の日記はちゃんとした漢文で書かなくちゃ恥ずかしいが、随筆ならそんなに構えて書かなくてもいいんじゃないのか？」という雰囲気が生まれたということです。漢字だけの中国にはないカタカナを使う、「カタカナの入ったわかりやすい書き下し文」が随筆の主流になれたのは、そのためでしょう。

鴨長明は「漢字＋カタカナ」でしたが、兼好法師以来、「漢字＋ひらがな」がおじさん達の文章の主流になります。（同前）

日本のことばは、そのはじまりから、いわば音声言語にオリジンをもつ「話し言葉」と文字言語にオリジンをもつ「書き言葉」のあいだのせめぎあいを磁場として、形作られてきた。「話し言葉」のエネルギー源となったのは「書き言葉」を用いることを禁止されていた女の書き手の力である。それがいってみれば最初のひらがなによる「和歌」(日本の歌)の勅撰集を産みだす力となり、さらに日本のことばの地の文としての「和漢混淆文」を作り出す、呼び水になった。

小林秀雄は先の『徒然草』にふれた文章で、兼好は「よく引合いに出される長明なぞには一番似ていない」し、『徒然草』と「よく言われる「枕草子」との類似なぞもほんの見掛けだけの事」であるとして、その「正確な鋭利な文体」を「稀有のもの」と絶賛していて、筆者も、そのことはよくわかる。けれども、そのことと、『徒然草』が『枕草子』のあの女御(「女の子」)の勢い、『方丈記』の「おじさん」的な試みなしに書かれえなかったことは、矛盾しないのである。

日本のおじさんたちのエッセイは、こうして日本の批評のことばだけではない、日本のことばをも作る。「おじさん達は、とってもリラックスして「随筆」というものを書いていたし、リラックスしたいからこそ、「随筆」というものを書いた」のである。「和漢混淆文の最初」が『方丈記』や『徒然草』という「随筆」だったのは、これを書く人が、「「漢文の教養」を持っていて、それを「あんまり堅苦しくなく、自由に書いてみよう」と思ったことに由来する」、つまりそこに難しさへの関心とそれへの抗いという逆向きの力が働いていたことが理由だ――これが橋本の見解である。

二つの力のせめぎあい

そうだとすれば、この二つの力のぶつかり合いを生き生きと保つこと、それが批評のことばとしての日本語をまた、生き生きとしたものに保つ道ということになろう。橋本は、近年の若い人々の「活字離れ」は、この「和漢混淆文」を作り出した磁場が弱まり、「「書き言葉の文章」が、どこかで壁にぶつかった」からではないか、という。

だったら、その壁にぶつかった「書き言葉の文章」をもう一度再生する方法は、一つしかないんです。「硬直化した書き言葉の中に、生きている話し言葉をぶちこむ」です。日本人は、ずーっとそれをやってきたんですから、またそれをやればいいんです。

（同前）

日本の中世に批評の酵母が現れた理由は、けっして世界の近代に一般公衆が出現することで批評・評論というものが独立の存在として生まれでてきた理由と同じではなかった。それは、むしろ書き手の側から生まれた。自由に書きたい、自由に考えたいという欲求、リラックスしたいという欲求、しかも、にもかかわらず、そういうことばが存在しないという制約が、新しいジャンルを発明することで新しいことばを作り出させ、これを可能にしたのである。どのくらいこの橋本説が、日本の古典の学問世界で支持をうる考え方なのかどうか筆者は知らない。けれども、筆者は、この橋本の考えに説得される。なぜ突然、『源氏物語』のようなものが書かれ、また、『徒然草』のようなものが書かれるのか。それには理由がある。その理由が外部に見つからないとき、先の唯脳論の推論におけると同様、理由は内部の必然に求められなければならないからである。

できるだけ自由に、自分だけの力で。

そう考えるだけで、もう私たちは、千里の径庭を空間移動して、批評のことばの、突端にいる。

4　電子の言葉の贈り物

内田樹とホームページ

こう考えてはじめて、なぜインターネットに代表される電子の言葉が、新しい批評の書き手を生みだしてきたかが、わかるように思う。

その種の新しい批評の書き手としてもっともめざましい一人である内田樹は、その名もずばり、『「おじさん」的思考』というタイトルのエッセイ集、批評の本で、あっというまに多くの読者の心をつかんだ批評家だが、彼の特徴は、その批評が電子の言葉を経由することで、可能になったと見えることである。

内田は、現在五十代半ばだが、ほんの四年前まではフランス現代哲学の担い手の一人であるエマニュエル・レヴィナスの翻訳によって関心のある人々に、僅かに知られる——知る人ぞ知る、というのでもない——書き手だった。それが二〇〇一年、『ためらいの倫理学——戦争・性・物語』を京都の小さな出版社から刊行するや、この四年あまりのうちに、『レヴィナスと愛の現象学』『寝ながら学べる構造主義』『「おじさん」的思考』『期間限定の思想——「おじさん」的思考2』『映画の構造分析——ハリウッド映画で学べる現代思想』『大人は愉しい——メル友おじさん交換日記』『疲れすぎて眠れぬ夜のために』『女は何を欲望するか?』『子どもは判ってくれない』『私の身体は頭がいい——非中枢的身体論』『死と身体——コミュニケーションの磁場』『東京ファイティングキッズ』『他者と死者——ラカンによるレヴィナス』『先生はえらい』、ざっと数えただけでも十五冊の本を矢継ぎ早に出版する。注目すべきは、そのいずれもが、読むべき内容に富む、水準を保った、すぐれた著作といいうることである。なぜ突然こうした書き手が現れたのか。いや、こう問うのは愚かしい。こういいかえないといけない。なぜ、これだけの力量をもつ書き手が、五十歳にいたるまで翻訳書のほかには数冊の共著を出すだけの仕事しか行わない、寡黙で怠惰な(?)書き手だったのかと。

内田は『ためらいの倫理学――戦争・性・物語』のあとがきに、こう書いている。

　これはかなり奇妙な生い立ちの書物である。

　ぱらぱらとお読みいただければ分かるが、ここにはいろいろな媒体に発表した、いろいろな種類のテクストが、テーマ別に配列されている。(中略)この本がちょっと変わっているのは、収録されたテクストのほとんどがウェブ・サイトで発表されたものだということである。

　私は大学の教師であり、ときどき学術誌に論文を発表するが、読んでくれる人はあまりいない。

(中略)

　一般誌からの原稿依頼もほとんどない。以前は新聞や雑誌からとぎれとぎれに原稿依頼が来たのだが、一九九五年くらいを最後に、ぱたりとそれも絶えてしまった。しかし、こちらは研究者であり、いろいろと思いつくこともあるし、言いたいこともある。学生相手に教室で熱弁をふるっているだけでは物足りない。そこで、インターネットのホームページというのを開いて、そこにどんどん原稿を書いて、

「世界に向けて発信」しようと思い立った。

（中略）

そうやって一九九九年の春にホームページを開設して、そこに毎日のように思いつくことを書き、学術誌に寄稿した論文も片っ端からアップロードした。（中略）私はすっかり「作家」気分となり、止める人がいないのを幸い、学術論文、政治エッセイ、映画評論、新刊プレビューと、あらゆるジャンルにわたって思いつくまま書きに書いた。すると一年ちょっとで書いたテクストが二メガバイトにも達した。

これはすごい。図像も音声も何もない文字だけで二メガである。スクロールするだけで半日仕事、全文読むと一週間はかかる。よく書いたものである。

（前掲『ためらいの倫理学――戦争・性・物語』）

電子エクリチュールとおじさんと『徒然草』

このあとがきは何かに似ている。そう、『徒然草』の冒頭。有名な『徒然草』序段の「まえがき」(?)は、こうだった。


つれ〴〵なるまゝに、日くらし、硯にむかひて、心に移りゆくよしなし事を、そこはかとなく書きつくれば、あやしうこそものぐるほしけれ。

（序段）

手元にある岩波文庫版『徒然草』の校訂にしたがってこれを筆者なりに訳すと、こうなる。

することもないものさびしさにまかせ、一日中、机の前に腰をおろしている。心の中を移動していくとりとめもないことを、特にきまったこともなく、あてどもなく書きつけていく。するとおかしい。妙にばかばかしい気持がしてくるのだ。

橋本治は兼好が『徒然草』の一部ではまだ十分に若い青年だった可能性があることにふれ、もし中年男ならこれは「アブナイおじさん」だが、青年ならこういうことって「べつにどうってこと」はない、よくあることではないか、と述べ、「兼好法師はホントに「おじさん」か？」と問題提起している(前掲『これで古典がよくわかる』)。しかし内田のあとがきは、たとえ兼好が「おじさん」であったとしても、メディア上の、あるいは書法上の革新とこの人の境遇がドラマチックに「未知との遭遇」を果たせば、ぼんやり書いているうち夢中になる、あるいは書いて書いて書きまくる、気がつくと暗くなっている、なんだこれは、もう二メガバイト、といった「あやしうこそものぐるほし」い状態が生じうること、またそこから、「おじさん」でいい、いや「おじさん」たることこそ望ましい、「大人は愉しい」といった随筆的境地も生まれてくることを、示唆しているといってよい。

電子エクリチュールなどと硬い用語をあてられることもあるいわゆるインターネットとかパソコン通信のことばは、書き言葉といえば書き言葉だが、ふつうの書き言葉とはずいぶんとかけ離れている。キーボードを打つと、スクリーンにことばが映し出される。そういうことが机の上で起こる。かわいい子には旅させよ。この電子エクリチュールでは、いってみればことばは小学校くらいでもう全寮制のスイスの学校に入学、というくらい早い時点で書き手から離れ、書き手の前に大人の顔で立ち現れる。親離れが、とても早いのだ。

しかし、その時点でも、もしセーブ(保存)しなければ、これらのことばはいわば水子のように「中絶」され、この世に存在しないものになる。それは紙に書きつけられてすらいない。誰の目にもふれていない。一瞬、書き手の机の上のスクリーンに存在したきり、もうどこにも存在しないことばに戻ってしまう。全寮制の小学校に行っている、もう大人っぽい我が子が、その時点でも、フィルムを逆回しにして、出産以前の水子になってしまうのであり、およそ十年間の生存記録をまったく「なかったことにする」ことも、できるのである。

そう考えると、この電子の言葉が、書き言葉でありつつ、ずいぶんと話し言葉の要素をも濃厚に合わせもつ、「書き言葉＝話し言葉」的な、新しいメディアであることがわかる。

思想のバリアフリー

内田樹は日比谷高校から東京大学に進むが、高校時代に「思想」の本とぶつかり、考えるところあって高校を中退、高三終了時以前に大検を取得して、その後、大学に入学している。フランス語で哲学を学び、その後大学院は都立大学に進み、しばしば自ら書いているようにフランス現代思想の巨頭の一人であるエマニュエル・レヴィナスの弟子を自任しつつ、武道をも修めてきたという変わり種である。そのうえ、この数年の彼の書くものを読めば、彼がどれほどヴィヴィッドな考える人であるかは一目瞭然。だから、筆者などは、そういう彼が、なぜ「一九九五年くらいを最後に、ぱたりと」外部からの原稿依頼が「絶えてしま」うくらい、不如意な(?)言語生活を送らなければならなかったか、ということに興味を抱く。

むろん余人にはわからない事情も多々あるだろう。しかし、これだけはいえるのではないか。どこかで小説家高村薫がワープロというものができなかったら自分は小説家にならなかったろう、あるいはなれなかったろう、と書いていたが、もしこの電子エクリチュールという新しい「書き言葉＝話し言葉」とぶつからなかったら、内田という新しい批評の書き手の登場もまた、なかったかもしれない。田口ランディという書き手についていえると同じくらいの確率で、このことはいえるように思う。彼の批評の特徴は、これまで対立的に考えられてきた二つの要素、「難しい」・「重い」と「やさしい」・「軽い」の対立を消してしまったことである。「公共的なこと」を語る批評と「私的なこと」を語る批評の境の壁を取り外してしまったことである。だから、たとえば、先のあとがきに続け、彼はこう書く。

これだけ書いておくと、そのうちにどこかの出版社の編集者が迷い込んできて、「おお、なかなか面白い。本にしませんか」というようなおいしい話があるのではないかと、虫の良いことを(恥ずかしいから口には出さず)心密かに思っていた。しかるに、「何でも強く念じれば実現するよ、内田君」という合気道のお師匠さまの言葉はやはり真実で、本当に編集者からメールが届いて、「単行本にしませんか」という夢のようなオッファーが来た。

(前掲『ためらいの倫理学――戦争・性・物語』)

彼は真面目なのか。真面目なのである。不真面目なのか。不真面目でもあるのである。そのことばは何だか武道で鍛えた身体のように、柔らかいといえば柔らかいし、硬いといえば硬い。というよりそれは、「柔らかい／硬い」というあり方を消した思考のことばの身体みたいでもある。いままで階段だったところをなだらかな坂にする。それはどこか思想のバリアフリーということばを思いつかせる。

なぜ戦争について語らないか

はじめて彼の批評にふれ、驚いた、その短文「古だぬきは戦争について語らない」から、少しだけ、引いてみよう。彼は、一九九九年のＮＡＴＯによるユーゴ空爆をめぐるスーザン・ソンタグの言行態度にふれ、こう書いている。

戦場に来ないで戦争についてあれこれ論評する知識人に「怒りを禁じ得ない」ソンタグの感覚は、戦場に来ないであれこれ論評するだけの日本政府の弱腰に「怒りを禁じ得ない」でいた(湾岸戦争の時の)アメリカ政府の感覚と同型的である。そして、自分がアメリカ政府と「立場」が違うだけで、同じ思考の文法で語っていることにスーザン・ソンタグ自身はどうやら気づいていない。

私たちは知性を計量するとき、その人の「真剣さ」や「情報量」や「現場経験」などというものを勘定には入れない。そうではなくて、その人が自分の知っていることをどれくらい疑っているか、自分が見たものをどれくらい信じていないか、自分の善意に紛れ込んでいる欲望をどれくらい意識化できるか、を基準にして判断する。

その基準に照らした場合、スーザン・ソンタグの知性はかなり低いと断じてかまわないだろう。

しかし、これはソンタグ一人の責任ではない。

(同前)

内田は、ユーゴ空爆についてどう思うか、と尋ねられ、「わからない」と答えることには権利があり、またその「わからない」という答えには、「わかる」つまりイエスであったりノーであったりすることに、少なくとも勝るとも劣らない、思考の果実がある、と述べている。考えてみれば当然のことだ。しかし、このことが、このような現代の批評のことばとして語られたことは、これまでにはなかった。たぶんこのことばは、いま「おじさん」である人の日本での「若かりしころ」の経験をくぐり抜けて、「アメリカの知性」であり「アメリカの良心」である、スーザン・ソンタグの前に置かれているのである。

彼は続けていっている。

私は戦争について語りたくないし、なんらかの「立場」もとりたくない。もちろん現場になんか頼まれたって行きたくないし、「戦闘にくみする」ことなんかまっぴらごめんである。

そんな人間は戦争について論じる資格がない、とソンタグとその同類たちが言うから、私は黙っているのである。黙るもなにも、そもそも私には何も言うことがない。戦争のことは、私には「よく分からない」からだ。　(同前)

いわれていることはまったく逆だが、この内田のことばは先の小林秀雄の「戦争について」のことばと似ている。逆ではないか。どこが同じなのか、といわれるかも知れないが、その戦争に対する態度が、同じなのである。そこには、新しいできごとに対する、自分の考えから出た、世に行われているのとは違う、新しい態度の表明がある。

V　批評の未来

1　平明さの基礎

難しい問題

平明なことばで書かれた平明な批評ということを追っていくと、最後に出てくるのはどういう問題だろうか。それは、平明な批評というときの、平明さの基礎は何かという問題ではないかと思われる。

筆者の批評についての遊弋も、もうこれが最終コーナーとなるが、最後に残るのはこうしてかなり難しいといえば難しい問題である。

これを平明にいってみよう。

内田樹がラカンとレヴィナスという難解であることでは指折りの二人の哲学者、精神分析学者について書いた『他者と死者――ラカンによるレヴィナス』(海鳥社、二〇〇四年)という本が、この問題を考えるためのよい手がかりを差し出している。なぜこの二人の書くものは難しいのか、そしてまた、難しいということにはどのような理由があるのか、難しいということには根拠があるのか、といった問題を、できるかぎり平明な場所から考えようとしているからである。

世の中には読んでもほとんど理解できない、難しい本がある。それを私たちはどう考えればよいのだろうか、というのが内田の最初に示す問いである。

これに対して、内田は、世の中には難しい言い方でしかいえないものがある、そのことを受け入れた方が世の中を広く見ることができるのではないか、と答えている。そのかぎりで筆者も内田に賛成である。しかし、内田は「「話を簡単にする読み」はしばしば「縮減する読み」たらざるを得ない」「だから、本書で私が採用するのは「話を簡単にする読み」ではなく、むしろ「話を複雑にする読み」である」とも書いている。

難しい言い方でしかいえないものも、なぜそういう言い方でしかいえないかが説明できれば、その難しさが理解できるものになる。理解できればそれは難しいものではなくなる。ちょうどわからない、ということを的確に説明できれば、それが一つの答えになるように。そう筆者は考えている。筆者は、難しいものも、なぜ難しいかがわかれば平明になる、つまり、やはりものごとは平明に語られうる、平明に理解されうる、と考えるほうなのである。

したがって一点で内田と筆者の考えは違っている。筆者は、難しいことがらも平明に理解されうる、そうでないと批評は存立しない、とすら大げさにいえば考えているのだが、内田は、少なくともこの本では、平明な読みを、認めていないからである。

内田は、難しいことを平明にいいかえることは、できない、という。

レヴィナスのソクラテス批判

内田のいうところは、こうである。

ラカン、レヴィナスのいうことが難しいのには理由がある。それは彼らがなかば意図して自分の言い方を難しくしているからである。なぜそんな面倒なことをするのか。わけのわからないことをいう。聞き手は意味がたどれなくなる。すると我慢できずに、聞き手が「なぜそんなことをいうのですか？」と聞き返す。ある真理のようなものを先生が生徒に伝授する。そういう通常のあり方では伝えられないものを伝えるため、まず通常のあり方を壊すことがめざされているというのが、内田の答えである。

> この人たちがあえて「何が言いたいのか分からないように書く」のは、彼らの側に「言いたいことがある」というよりはむしろ、読者に「何かをさせる」ためである。
>
> 私の見るところ、彼らは次のような読者からの問いかけを励起するために、わざと分かりにくく書いている。

「あなたは「何が言いたいのか分からないような文体で書く」ことによって、私に何を言いたいのか？」（同前）

ではそんな面倒な手続きを踏まなければ伝えられないこととは、何か。そしてそれはなぜそういう言い方でしか伝わらないのだろうか。この本は、そのことをラカンを手がかりに、レヴィナスをめぐって語ろうとしている。したがって、筆者もレヴィナスについて理解できたところを、説明してみよう。

ソクラテスは、人が考えることのうちには際限がない、どのようなところまでも考えるということで行くことができるはずだ、と考えた。無限はすでに自分のなかにある。だから「知るというのは思い出すこと」に似ているという。想起(アナムネシス)説である。

しかし、レヴィナスからすると、この想起説だと「人間の知に外部は存在しないことになる」。

ソクラテスに反対して、レヴィナスはこう説く。師が弟子にもたらすもっとも重要な教えとは、何よりも、外部が存在することを教えることである。それは「師の現前」というそれ自体「外部的」な経験によって担保される。（同前）

独学者と無限

人が誰かの話を聞いたり、本を読んだりして自分で考える、自分だけで考える、それは悪いことではないが、それだとどうしても自分の甲羅に似せて穴を掘るというか、自分の似姿を相手に見出す結果になり、「同一性」の枠から外に出られないことになる。それでは思考において己れとはまったく異なる存在、「他者」にふれることができない。そういう「他者」、外部に向かって開口部をもつ思考のあり方をもたらすために、レヴィナスはそういう語り方をするのだし、そういうあり方にことばを与えようとするため、分かりにくく書こうと意図しない場合でもわかりにくい言い方になるのだ。これが内田の答えである。

この内田の考えだと筆者など、困ってしまうのは、冒頭に述べたように、批評をとにかくどんな知識がなくともゼロからはじめられるものと、自分で定義しているからである。そう定義してここまで批評というものをやってきているからである。それはここでソクラテス的な考え方として否定の対象になっているものとほぼ同じである。内田の本では、自分一人で考える人間は、「師」＝他者をもたない「独学者」と呼ばれ、呪われるべき存在だとされている。

独学者とは誰のことか？

それは「他者」に双数的＝想像的構えで立ち向かう者のことである。独学者もまた異論と対話を試みるし、テクストからの呼びかけに耳を傾けることがあるだろう。けれども、彼の努力は「自分がすでに知っていること」を他者のパロールのうちに「再発見」するためにしか行使されない。それは独学者が「他者」を知らないからだ。（同前）

内田と筆者の違いは、したがって、人は内田のように「師」との関係をもたなくとも、一人で世界のなかに身を置きつつ、ここにいう「独学者」たるあり方から離脱し、「他者」との関係のうちに身を置くことが可能だと、考える点である。たとえば、筆者は小説を読み、批評を読むが、そこでの「テクストからの呼びかけ」により、自分の既知の世界の外に踏み出ていくことが可能だと思っている。それが「テクスト」の力であり、「文学」の力だろうと思っている。内田は、そのように外部の声を聞き取るためには、ある特別の「他者」への構えが必要だというのだが、筆者は、何も知らずにテクストの前に立つだけでも、もしその人間に準備さえあれば――ゼロの準備さえあれば――外からの刺激なしでも、いわば「テクスト」のもつ他者性に助けられ、そのことは可能となる、そうでなければ筆者の考える批評は、存立しない、と考えるのである。

平明さとは何か

ここから一つのことがわかる。

内田の語るレヴィナスで困ると思うのは、このレヴィナスが、ふつう一般の人のあり方に対して、それは「誤っている」といっているように、聞こえることである。筆者はふつう一般の人のあり方がこれで十分だとは思っていない。このあり方では尽くせない事態がかつてあり、さらに二十世紀になってからユダヤ人のホロコーストなどにより、この尽くせない事態が致命的なまでに深刻なものになったことも、ある程度はわかっているつもりである。しかしこの本でレヴィナスに批判されているフッサールが述べているように、われわれは他人が自分と同じように感じるだろうと考えることを足場に、「他人(他我)」というものをも、そして間主観性というものをも、成立させている。フッサールがいっているのは、自分とほかの人間が同じように最低知覚を成立させているはずだ、という類同性の確信であって、それは「同一性」であるといえばそうもいえるが、これがあるから、人はいわゆる人たりえている、という最低線の「同一性」である。そのことがなければ、人間としての存立がない、そういう指摘なのである。

このことを認めた上で、これに対し、レヴィナスが、しかしこのような一般的な人間の存立のあり方では、もう対応できない事態が生じている、あるいは人間の存立の原初から存在している、というのならわかるのだが、内田の本を読むと、レヴィナスは、あるいは内田は、こうしたふつう一般的な人のあり方を、フッサールの考えを否定するのと一緒に、「同一性」にからめとられた誤ったあり方だと、否定している。これは、つまりゼロから考えていく、というあり方ではダメだ、ということである。

しかし、もし内田のいう通りだとすると、筆者の考える批評の存立は不可能だとなる。いや、筆者の批評くらいなくなってもよいのだが、ただそうなると、誰もが参加できる言語のゲーム自体が、その権利を失う。というのも、筆者の批評が意味しているのは、誰もがどこからでも、何の予備知識なしにも、誤った先入観に立ってでも、そこに参加し、もし何も知らなければそのことを思い知らされ、もし誤っているならその誤りに気づかされる、そういう自由参加の、どこからもはじめられる言語のゲームが、この世にある、ということだからである。最初の始点が間違っているから、それでダメだ、と宣告されるような真理の世界に、批評は生きられない。ここに来て筆者は気づく。なぜ批評は平明でなければならないのか。それは批評が、誰もが、いつ、どのような出発点からも、どんなルールででも、参加できるものでなければ、死んでしまう、ゲームだからなのである。

しかし、ほんとうに、レヴィナスはそういっているのだろうか。内田もそういっているのだろうか。というのも、この本にはこうも書かれているからである。

レヴィナスは「無限」を「全体性」と対比的に論じている。しかし、その主著のタイトルが示しているように、問題は「全体性か無限か」ではなく「全体性と無限」である。「無限」は単独ではもちろん観念され得ない。それはつねに全体性と一対になって、全体性のエコノミーの「開かれ」あるいは「破綻」として、あるいは「光の中から退去した何らかの痕跡」として、欠性的にしか指示され得ない。

(同前)

レヴィナスの思想では、むろん「全体性」が世の一般の悪しきあり方をさし、「無限」がその向こうに「全体性」を通じ、仰ぎ見られるものをさしている。その二つは排他的ではない、一対としてあるのだということがここにいわれている。しかし、批評とは何かといえば、答えははっきりしているのである。それが「無限」に属するか「全体性」に属するかは知らない。批評にとってそれは大事なことではないからである。大事なことは、その二つに関与するとして、批評が少なくとも「無限」のほうから「全体性」を断罪するものではないこと、それへの抵抗にほかならない、ということである。批評はその場合、「全体性」からはじめ、「全体性」にとどまり、しかしそこでの自らの「破綻」を糸口に、もしそれが許されるのなら、「無限」を指さすはずである。それは、たいしたものではない。ヨシフ・ブロツキーが詩について述べた際、ロシアの詩人を引いて述べたように、批評もまた、「恥知らずに、塀の脇の黄色いタンポポのように」「ごみくずから育ってくる」ことばなのだ。

それにしても、筆者の読み方が間違っているのだろうか。

筆者は、ほんとういうと、ここでレヴィナスと内田に批判されているフッサールの考えにはそんなにまずいところはないと考えている。その理解も内田ないしレヴィナスと同じだというのでもない。しかし、内田が最初のレヴィナス論(『レヴィナスと愛の現象学』せりか書房、二〇〇一年)で引いたレヴィナスとフッサールの出会いの話には大いに魅了された。

それは、こういうのである。

一九二八年、二十三歳のレヴィナスはフライブルクのフッサールを訪れる。このときフッサールは六十九歳。その会見は不調に終わる。レヴィナスは「師」を求めて行ったのだが、フッサールの応対は失望させるものだった。それについてレヴィナスは、フッサールは「あまりにも完成して」いた、「おのれの探求についての探求を終えてしまっていた」、そこには「もはや意外性の余地」はなく、「彼の口頭での教えにも、何かしらもう完了してしまったものが感じられ」たと述べる。これに対する内田の評はこうである。

このフッサール評は、現象学についての内在的批判にはなっていないが、レヴィナスの立場からすれば、ほとんど致命的な宣告と言ってよい。

「おのれの探求についての探求を終えてしまった」(il avait fini la recherche de sa recherche)という言葉は強烈である。レヴィナスは哲学者とは「永遠の初心者」でなければならない、という確信をもってフライブルクへ出かけ、そこで「哲学することを終えた哲学者」に出会ったのである。　(同前)

批評もまたそれに携わる者を「永遠の初心者」たらしめる。ガッシリと肩をつかみ、小学校にあるあの小さな椅子に、ギュッと腰掛けさせるのだ。

他者と死者

なぜ難しいことばが存在するかという問いに対して、内田は二つの答えをこの本で用意した。一つは、他者があるから、というのであり、その内容は右に述べた通り。そしてもう一つ、彼のいっていることがあり、それは、死者がいるから、というのである。

なぜラカンもレヴィナスもいうことが難しいのか。難しく書くのか。彼らがともに第二次世界大戦の同時代者であって、彼らは死者の記憶のなかでそれを書いている。しかも彼らはそのことをことばではいわない。それは、ことばでいえるものではないからだ。その書くものが、戦争の死者との関連を見ない人に、面倒で、晦渋で、時にわざと難しくいっているものと見え、時に実際わざと難しい語法を使って書かれることになる。これが内田のいうことである。

こちらのほうは、筆者にもわかる。「他者」の理由のほうは半分しかわからないが、「死者」の理由のほうならわかる。じつはこの本を読んで、なぜ内田が、レヴィナスに関心を抱いたのか、ということについても筆者は、なぜこれだけ長いあいだ、彼がある意味での沈黙を余儀なくされたか、ということとともに、理解させられるような気がした。彼もまた、「戦争の死者」ではないが、「死者」の記憶をもつ年代の書き手なのだろうと、想像されたのである。

2　批評と世間

世間と社会と批評

批評が広く高くなろうとする山だとすると、その山を載せている台にあたるものは何だろう。いや、台はない、という批評もあるかもしれないが、そのような孤絶の批評も含め、高みをめざす批評から人々のあいだのひろがりを生きる評論、エッセイまでを含み、批評を成り立たせている基底があるはずだ。その基底は、何なのだろうか。

先にふれた公衆、一般読者の社会、世間が、そうだと思う。

一般読者の社会とは、一般社会、civil society（市民社会）のことである。この一般社会には幅がある。これを公共圏というと、一人一人が個人というものをもっていて社会のことを考えるというイメージが強い。世間というと、どんな公共的意識、個人の権利も生きる余地のない前近代的な空間のように思える。

世間？

阿部謹也氏によれば、日本語の世間が意味しているのは、「個人がいないということ」だという（『日本社会で生きるということ』朝日新聞社、一九九九年）。近代以前の日本には個人はなかった。社会ということばもなかった。その代わりに「世間」ということばがあった。しかし、いまでは「個人」はある。ただその「個人」はみんなてんでに勝手なことをしている。この本では、個人はいるけれどもみんながみんな――少しは世の中のこと（公共的なこと）も考えているが――主には自分のこと（私的なこと）を考えて生きている、現にある、近代以降の一般社会を念頭におく。そのうえで、人々が自分のことを考えて動くようになってから新しく生まれた近代以降の社会を、社会ではなく世間、とここでは呼んでおこう。個人はある。しかし公共的な個人ではなく、私的な個人。その私的個人がそれぞれ私的な関心、利益を追う社会を、どちらかというと公共的観念的な「社会」——日本でいう「市民社会(the society of citizens)」——、「世界」と区別するため、地上的に、「世間」と呼んでみるのである。

この意味での世間を、近代の一つの指標として語ったのはヘーゲルである。彼は近代の具体的な社会の制度を「①男女と子供からなる「家族」、②自分の利益を追求しようとして互いにしのぎをけずる「市民社会(civil society)」、③「(政治制度としての)国家」」という三つの領域に分けた。そして、それぞれの「具体的な社会生活のただなかで、人々が自由を実感できねばならない」とした(『法の哲学』、ただし引用は西研『ヘーゲル・大人のなりかた』NHKブックス、一九九五年)。

ふつう日本で市民社会というと、公共的な人権意識をもった「個人」(citizen)の集まりからなる社会(the society of citizens)と解されることが多いのだが、現にいま筆者たちのまわりにあるのはそういう社会とは少し違う。もう少しいろんな要素が含まれている。社会のことよりも家族のことを先にし、自分のことを考え、まわりともまずまずうまくやっていこうと思う。そのためには社会の常識、世間の常識もわきまえている。そういう一般社会(civil society)のあり方をしっかり取り出したいため、「世間」という。批評はこの「世間」(civil society)から生まれて、これを「市民の社会」(the society of citizens)につなぐ。あるいは、「世間」の混沌のなかでの評判と自分への配慮を手放さないことで、この私的な感じを普遍的な感じに置き直す。あるいは逆に孤絶の動きを強め、「市民の社会」のさらに果ての「無名性」にまで貫通することで「市民の社会」の市民性を批判し、これを鍛える。

公衆、一般社会、世間は、新しい真っ白なスクリーンとして、評論＝批評が学問とは異なるものとして生きる場所を与えた。しかし、両者の関係はそれだけではなかった。これらのものは、スクリーンというだけでなく、よく考えてみれば、批評という映写装置の光源でもあるのである。

なぜ文学は善意を喜ばないか

なぜ批評は世間を光源とするのだろうか。

ヘーゲルが、「ことそのもの」ということをいっている。ドイツ語で“Sache selbst”、直訳すると“the matter itself”のようにも見えるが、同じではないらしく、英語での意訳例に“the matter in hand”がある。じつに面白い概念である。

文学にはほかのジャンルにはない特異な性格がある。前にもふれたように、善意はそこで——そのままでは——通用しない、というのがそれである。

たとえば、この世をよくしたいというそれ自体として美しい希求に直接に立脚した、あらかじめよき社会改良の動機に立つ小説が書かれたとして、必ずといってよいほど、そういう「よき心」に立つ作品が、面白くなく、「駄作」になってしまう。「よき作品」がものされるには、むしろ私欲や葛藤や自分への疑いや、エロチックな気分への傾きや、自分の善性への絶望や、へらへら笑いなど、必ずしも「美しくない」「善から外れた」「不真面目な」場所からの立ち上がりこそが、必要になる。そういうことを先に指摘したが、それは、なぜなのだろうか。

ヘーゲルは、現実に生きる個々の人間の個人性ともいうべきものに根ざすのでない、頭で考えられただけの純粋な善、純粋な自由、「徳」の心は、必ず「世間」の前に敗北する、という。純粋な善、自由、「徳」といったものは、本来、現実の個人性(つまり地上性)に根づいたものでないので、弱いからだというのが彼の答えである。ヘーゲルに念頭におかれているのは、たとえばその善なる人が社会を改良し、社会に善をほどこしたいと考えたとして、その彼の善意が、本で学ばれ、頭で考えられただけのものなら、実はそこに善行の相手への優越心がまぎれこんでいたりしてかなり独善的で薄っぺらいものだとしても、チェックできない、そしてそれらが純粋な善だということの意味は、その現実との接触の欠如なのだから、こういうことはしばしばあるのだ、というようなことだと考えておいてよい。そういう善意は危なっかしい。空疎だ。弱い。だからヘーゲルは、「意識がその闘いのうちに得たものは、世間が外見ほど悪いものではない、ということである」と書く(『精神現象学』)。そこで観念的な独善の危なっかしさに鉄槌を下してくれるのは、当初汚れにまみれていると見えた、当の世間だと、いうのである。

このことが意味しているのは、ある作品が「よき作品」であることが明らかになるには、発表され、世間のうちにあるさまざまな玉石混淆の批評にさらされ、そのなかで、世間の評判つまり承認をかちとることが、どうしても必要だということである。ある作品が評判となり、多くの人に読みつがれ、古典となったりするのは、このことを通じてである。というか、このことを通じる以外に、道はない、ということである。

当初は大評判だったが、十年後には誰にも記憶されなくなる作品もある。しかしそこに起こっているのも、同じことだ。長い目で見るなら、当初作品に与えられた評価が、後に別個の批評によって覆され、その後の評価が、より人々を説得するようになるということだからである。

ある作品が駄作だとは、誰にも評価されないこと、あるいはそれが駄作だと評価されることである。えっ、ホント？　と思われるかもしれないが、どんな作品も、読まれなければ、それがよいか悪いかはわからない、とはそういうことなのだ。考えてみれば、ここに批評と作品と両者を乗せる台としての世間の三者がらみのダイナミクスの謎がある。それが書かれるのは作者の孤独な部屋でなのだが、書かれたものが「すぐれている」かどうかが決まるのは、てんでに勝手に、因習的な考えも差別的な感覚もしっかりとうごめいている、世間という場においてなのである。そして、そこでの世評がこの作品を「すぐれたもの」とすることが、この作品がこうした因習的な考え、差別的な感覚を打破したということの、もっとも現実的な表現態なのだ。

したがって、頭で考えられただけの善意、純粋な善、純粋な徳義心で書かれた小説がほとんどの場合、面白くない駄作に終わるのは、その善意、善、徳義心が、書かれる過程で、いわば作者の具体的な個人性に試されず、地上性の原理に基づく「世間」の風にさらされないまま、書き終えられるからだということがわかる。それは自分の観念の温室のなかで書かれ、発表されてはじめて「世間」の風にふれる。そして「駄作だ！」といわれ、書き手になにごとかを、教えるのである。

批評の野生と純粋

それと似た事情が、批評にもあるのではないだろうか。批評にも批評の野生というものがあり、それは世間という顔をしているのではないだろうか。

批評は原理的にことばでできた、精妙な、繊細な思考と感覚の身体であることをやめない。心の動きからいったら世間一般の人々の生きる場でのそれとは対極にある、あらゆる先入見から自由で、とぎすまされた自己批評に立つ、精神と手の共同の作業である。

しかし、この自己批評の糸電話の一方の端が、純粋精神のような位置にふれているとした場合、もう一方の場は、私性の根源にふれている。その私性の根源にはジョルジュ・バタイユが『文学と悪』で述べた「悪」の岩盤があるだろう。そしてその手前には、あの「何いってやがる」といった世間の風が、吹いているのである。

かつて、晩年家出して死んだトルストイの日記が公刊されたとき、正宗白鳥は、こう書いた。以前、トルストイが田舎の停留所で病死したとの報が伝わったときには「人生に対する抽象的煩悶」に堪えず、「救済を求め」旅に上がったなどといわれ、これを、「日本の知識人は、そのままに信じて、甘ったれた感動を起こしたり」したが、このほど公刊された日記を読むと、夫婦げんかの末の家出であり、「実際は細君を怖がって逃げたのであった」、そのさまは、「悲壮でもあれば滑稽でもあり、人生の真相、鏡に掛けて見るが如くである。あゝ、我が敬愛するトルストイ翁！」。

そして、これに対し、小林秀雄が、僕は、こんな言い方を「信じない」、トルストイに「人生に対する抽象的煩悶」がなかったら、妻など恐れなくともよかったはずだ、と書く。なるほど「あらゆる思想は実生活から生れる。しかし生れて育った思想がついに実生活に訣別する時が来なかったならば、およそ思想というものに何の力があるか」ということばで名高い、「思想と実生活」論争での主張である。

しかし、思想が世間一般の感じ方と断絶していることを強調した小林が、それから二年もたたないうちに、日華事変が起こるや、いったん戦争が起こると西洋の知識人はこういう場合どう対処しただろうなどと考え、それに倣い、「大いに戦争に対して批判的になった積りでいる」世の「インテリゲンチャ」など、自分はまったく信用しないのだ、と今度はほとんど先の正宗白鳥のようなことを、口にする(前掲「戦争について」)。

少なくともここにあるのは、戦争への批判か、世間への迎合か、といったような問題ではないのである。いわば批評の純粋と批評の野生が、世界か、世間か、という二つの極端をめぐって、ぶつかっているのだ。

世間である、世界ではない

総じて西洋の語では、世界という語と世間という語が同じだということは面白いことだ。ドイツ語に詳しい友人に尋ねてみると、ヘーゲルが使っている語は Weltlauf で、Welt の世界に対して、直訳すれば「世界、世間、世の中のはたらき」となり、「世の中」「世路」と訳されたりもするという。しかし Welt のほうは、この一語で、世界もさせば、世間もさす。英語の world も、ほぼこれと同じである。

以前、ある新刊のカフカ論の帯に、「君と世界の戦いでは、世界を支援せよ」ということばが刷られていて、どういう意味なのだろうと関心をもった。それがカフカの八折りノート他に書かれた断片だとわかり、カフカの若年の断片、ノートを愛読するようになったが、当時のカフカ全集の日本語訳で、この相当部分が「君と世の中の戦いには、世の中の方に味方せよ」となっているので、だいぶ面くらい、考えこんだことがある。先のカフカ論は、マルト・ロベールの本で、訳者は宮川淳(『カフカ』晶文社、一九六九年)。カフカ全集のほうは、江野専次郎・近藤圭一訳だった。そのときは、世の中つまり世間では意味をなさない。これは世界でなくてはならない、と考え、フランス語のカフカ論の訳者である宮川淳の訳した語を用い、自分の考えをこのことばにこめ、「君と世界の戦いでは、世界に支援せよ」という題名の評論を書いた。

しかしいまは、このことばをカフカがなぜ書いたのだろう、ということに関心がある。ちなみにいまは、「おまえと世界との闘いにおいては、かならず世界を支持する側につくこと」と訳されている(飛鷹節訳「八つ折り判ノート、第三冊」一九一七年一二月八日の項、『決定版カフカ全集3』新潮社、一九八一年)。しかし、これは「世の中」つまり「世間」でよいのかもしれない。それに続けて、「ひとは他人を騙してはならない。同様に、世界が勝利をおさめているのに、それを掠めとってはならない」とあり、その数行後には、「このうえなく強烈な光をもってすれば、世界を解体することができる。だが弱々しい目にたいしては、世界は強固になり、もっと弱い目にたいしては拳をふりあげ、さらに弱い目にたいしては、恥も外聞もかなぐり捨てて、眼《がん》を付けようなどとした奴を叩きのめす」とあるからだ。これなら世界でも世間でもいい。しかし世間のほうが、いっている意味ははっきりする。

世間は、世界とは違う。社会とも同じではない。そこには何か因習的なもの、たとえば近代的な意識などによって整序されないもの、近代的な観点から見たら困ったもの、悪しきものがたくさんある。しかし、ある作品がよいか悪いかを決めるのは、ということは「よき作品」を生みだすのは、世間である。世界ではない。

作品は、作者の個人性に立脚した制作と、いわばこの具体性、地上性の権化である世間の承認とによって「よき作品」となる。「よき作品」は、個人性と普遍性の共同作業のたまものであり、「自分にとって」よいものであると同時に「世間＝社会にとって」もよいものなのである。

そこには「行為と存在の統一」がある。そこで「ことがら the matter」は「自分にとって」あると同時に「世間にとって」もある。それは「手に握られている in hand」が、その「手 hand」は、「自分の手」であると同時に「世間の手」でもあるような「手」なのだ。ことがらが、そのようなありようをもってあること、自分の手にありながら、同時に世間の手にあること。そのことを、ヘーゲルは「ことそのもの」と呼ぶ。「ことそのもの」とは、ある作品がよき作品となるのに、世間の側の承認が必要であること、われわれが「自分と世間の闘いでは、かならず世間を支持する側に立」たなければならないことの、基底なのである。

理由ははっきりしていよう。「世間が勝利をおさめているのに、それを掠めとってはならない」からである。

ことそのものと批評

しかし、そうだとすると、ある作品の「すぐれていること」を決定するのは、批評であり、かつその批評を通じて最後に勝利するのは、世間だとなるのだろうか。もしそうだとしたら、ある作品の優劣を決めるのは、最終的には世間だとなる。作品と批評の関係も固定的になる。

しかし、実際に作品と批評のあいだに起こっていることは、それとは逆のことだ。なぜなら、実際の作品と批評と世間の関係が教えるのは、それが固定的になれば、たちまちにして「ことそのもの the matter in hand」は、死んでしまう、ということだからである。

例を二つあげよう。

かつて大江健三郎は『個人的な体験』という世に絶賛された小説を書いた後に、それとはまったく文体の異なる、晦渋な作品を雑誌『群像』に短期連載し、不評をあびた。『万延元年のフットボール』である。しかし、その後、作品の全貌が明らかになると、ほどなく世評はくつがえり、数年の後にはこれが前作に勝るとも劣らない傑作であるとの評価に取って代わられた。ここには「ことそのもの」に関して、一つの弁証法的(?)ともいうべき関係が見られる。ある作品が『すばらし』く、次の作品がまた「すばらしい」ものであり続けるためには、作品は先の「すばらしさ」にとどまっていてはいけない。作者が、自分の個人性の現実に立脚してさらなる作品を意欲するかぎり、それは前作の評判と衝突する。そしてそれを覆そうとする。前作のよさを踏襲し、なぞろうとするかぎり、それは彼のなかで新しいものたりえない。その結果それは、書かれる作品を損なう。発表されれば低い評価を与えられ、「自己模倣にすぎない」という烙印を押されるのである。

つまり作品は先の世間の基準を破壊することによってのみ、したがって発表当初は世評からの攻撃にさらされ、その後、世評を更新し変革し自分に従えることによってのみ、「すばらしい」ものであり続ける、世評からの評価を受け続けるのである。

同じことが、もっと鮮明な形で、中上健次にも起こっている。

中上は、路地ものと呼ばれる彼の出自の地を舞台に『枯木灘』という傑作をものし、次作もその延長に位置する作品をと期待されたが、次には世間の期待を裏切り、その路地が更地にされ、消滅してしまう続編『地の果て至上の時』を書き、時の文芸評論家から不評を買った。筆者もそのときにはもう文芸評論をはじめていたが、前作『枯木灘』をカナダから帰国した後に読んでその傑作ぶりに驚いたばかりだったこともあり、『地の果て至上の時』の評価はその当時、そう高くなかった。すみません。いまになってみれば、中上が、自分の前作の世界を覆し、否定し、その先に出たことの力が、この作品にみなぎっているのを感じる。自分の評価が中上の作品によって後に「更新」を受けた、といまはそう、感じる。

批評は作品を評価し、そこで実現されたことの意味を作者に告げるが、すると、作者はその評価を裏切り、越える作品を新たにもたらすことで、先の批評を教化し、また新たに更新するのである。

世間は始末が悪い。

作者、批評家がそれに応じ、従おうとすれば、軽んじ、すぐれていなければ、拳をふりあげ、自分を否定するものには、「眼を付け」たと「叩きのめ」そうとする。唯一、作品、批評が強力で、その否定によって自分を生まれ変わらせる力をもつ場合にかぎり、この世間は、否定され、生まれ変わり、今度は打ってかわって相手を「すばらしい」と、賞賛するのである。

だから、「ことそのもの」とは、噴水の上に危うく浮かぶゴムマリのようだ。そこでは下向きにかかる世間の重力とそれに抗う下からの作者の意欲とがせめぎあう。ゴムマリは噴水の上、中空に静止しているように見えるけれども、そのじつ、めまぐるしく回転している。

3　「面白い」と批評の基準

「美しい」と「面白い」

しかしほんとうに「世間」の淘汰力を、信頼してよいのだろうか。

昨年亡くなったスーザン・ソンタグが、晩年、美の考え方が頓挫するようになって、一つの対比が明らかになってきたと、述べている。

美の頓挫は、まずカントがいう意味での「判断」という観念のもつ威信が失墜したことだった。どのような場合にも可能な、「ほぼ偏りのない判断力」「客観的な判断力」への信頼がなくなり、その「威信」が消えた。すると、いわゆる近代的なものを時代遅れと見る新しい風潮が、姿を現すようになる。

厳粛で難解な「近代主義《モダニスト》」芸術や文学は時代遅れとみなされるようになった。俗物たちの共同謀議である。今や、革新は弛緩の代名詞となった。今日のE《イー》‐Z《ジー》アートは、みんなで渡れば怖くないと、万人に青信号を発している。

（「美についての議論」『良心の領界』NTT出版、二〇〇四年）

厳粛で難解なものとは、重くて難しいものである。そういうものが「時代遅れ」で、いまは「E《イー》－Z《ジー》」なもの、「軽くて平明なもの」がよしとされる。それは、「俗物たちの共同謀議」である。

美の「かつては肯定的な能力(洗練された判断力、高基準、気むずかしさ、という意味合いでの)とされていた選別眼」が「否定的なものへと」変わる。それはいまでは「自己と同定できないものごとがもつ長所にたいする偏見、頑迷さ、無知」だといわれてしまう。

そうしたなか、明らかになってきたのは、「美しい(ビューティフル)」に対する「面白い(インタレスティング)」の勝利である。誰もがいまでは、何かを褒める場合、「美しい Beautiful」の代わりに、「面白い Interesting」という。

夕日の写真、それも美しい夕日の写真があったとする。洗練された会話のセンスがすこしでもある人なら誰でも、「そう、この写真、面白いじゃない！」という表現を選ぶにちがいない(この夕日、美しいじゃない、ではなく)。(同前)

「面白い」とは何か

こう述べてきて、ソンタグは、批評の基準としての「面白い」を、こう批判するのである。

面白いとは、何だろう。（中略）ニーチェの指摘どおり、病人は面白い。悪意のある人も面白い。この言い回しで重宝がられているのは、思慮深さではなく、率直さが伝わってくる点だ。尊敬ではなく、無作法あるいは横柄あるいは図々しさ。価値の尺度として見れば、「面白い」は、調和ではなく衝突を好む心情の後ろ盾となっており、「面白い」の反対語は「退屈」である。自由主義《リベラリズム》は退屈だと、カール・シュミットは一九三二年、『政治的なるものの概念』において宣言した（翌年には、彼はナチスに入党した）。自由主義の原理にのっとって遂行される政治はドラマ性、華やかさ、葛藤に欠けるが、強硬な専横政治――そして戦争――は「面白い」というわけである。（同前）

価値基準として「面白い」をいうときには、その行動や芸術がどんな結果をもたらすかなどということは考えていない。真理などそこではお払い箱である。この「面白い」で消費主義はどんどん領域拡大する。「面白いものが増えれば増えるほど、市場の成長が進む」。「ごちゃ混ぜ性、そして、理由などなくとも「面白ければ」なんでもよい、という肯定」。彼女はこれを否定する。

そして、文章は、最後、いったい誰が
「あの夕日、面白くない?」
などというだろうか、「(もし自分が言うとしたら、その場違いな感覚を)想像してみればわかる」、という印象深いことばで、終わっている。

「面白い」は断罪されるべきか

しかし、このように「美しい」の名のもとに「面白い」を断罪しては、いけないのではないだろうか。

筆者は最近、いまの詩の世界が難解な詩と、平明だけれども容易=安易な軽い詩(ライト・ヴァース)とに分かれ、互いに相手をよからず思っているという現状を知らされ、あるところで、こんなことをしゃべった。

どんな場合でもあるものがダイナミックなときには、互いに異なる二つのものの合体が見られる。それが力なくなると、二つに分かれる。戦後、日本に新しく生まれた現代詩=戦後詩はモダニズムと戦争が時代の圧力釜のなかで異種混合したものである。それが力なくなって、また、難解なものとやさしいものに分かれた。つまりこの分裂は、詩がいま窮状を何とか生き延びようとしている姿なのである。

ある詩人の詩に、皿が落ちて割れる、そのときふたつの破片が、「さよなら」といった、という詩句がある。詩を書く人は、いまのこの分岐のうちに、どこかで苦しんでいる一なる「詩」の、「さよなら」の声を聞き取らないといけないのではないだろうか。

さて、思い出すのはこんなことである。筆者が学生で、大学が相当に荒れていたころ――全共闘運動が盛んなころ――大学の象徴でもある講堂を占拠すべきか否かでこの無党派の寄り合い所帯の学生たちのあいだで、討論が起こったことがある。侃々諤々、さまざまな意見が出て決まらなかったら、かたわらの窓のへりに寄りかかっていた一人が、「なに、面白いからだよ」とぽつりと一言いった。そしたら全員がそれに、おっ、それはいいな、と説得され、講堂の占拠に動いた。

いまから見ると、だから全共闘というのはダメなのだともいわれそうだが、そのときの気持は違っていた。そこでの「面白い」は、「美しい」とも「正しい」とも「気持がよい」ともちがわなかった。社会の変革、理不尽なことを是正したいという公共的な意欲と、面白く素敵なことをしていると気持がいい、といういわば私的な歓びが、圧力釜のなかで一つだったのである。

運動が衰退し、時代が閉塞すると、この一つが割れて、「さよなら」という。そもそも、死のことを考えればわかるように、衰退するということが、一つだったものが、二つに分かれることである。

以後、日本でも、二つは分かれ、一方は、気むずかしく、苛酷に正義を求める運動になり、他方は、単に気分が紛れればいい、笑えればいい、という空疎でしらけたものになり、いわゆる「内ゲバ」の時代がくる。

「美しい」の名のもとに、いまになって、「面白い」を断罪するのは、ダメなのではないかと筆者がいうのは、このことである。それは、革命の折り、上げ潮のときにはともにことにあたった好漢ダントンを、堕落したからという理由で、いよいよ孤立の度を深めるロベスピエールが、断頭台に送り込むのに似ているのだ。

「面白い」から「よきもの」へ

この、ちゃらんぽらんで、どこにいくのかわからず、「真理」のことを顧慮せず、俗人の目をひくだけの「面白い」こそ、誰にも開かれたスタート地点である。「ごちゃまぜ」の、面白ければ何でもよいというこの無責任な始点から、人は、あの「真」と「善」と「美」に、もしいたり着ける場合には、いたり着く。

カール・シュミットの例が引かれている。けれども、このシニカルな政治学者が自由主義を「ドラマ性、華やかさ、葛藤」に欠けるから「退屈」といったかどうかは、『政治的なものの概念』からは、わからない。当時、「自由主義」が、硬直化し、独善に陥り、視野狭窄に陥ったから、退屈だといったのかもしれない。また、そのことが、彼が翌年、ナチスに入党したことと関係するのかどうかだって、わからない。それが不明なことは、彼が「自由主義」を退屈だといったからといって、ただちに、「ドラマ性、華やかさ、葛藤」に富んだ「強硬な専横政治――そして戦争」を「面白い」と考えたかどうか、わからないことと、同断である。

どう考えても、ここでのソンタグは、自由主義者として、硬直化し、視野狭窄に陥っている。筆者がいいたいのは、「面白い」こそがすばらしいということではない。どうか、「面白い」を「美しい」から切りはなさないでほしい、ということである。切りはなすと、「美しい」が弱くなるからである。

誰も、

「あの夕日、面白くない？」

とはいわない。

それは、「面白さ」には限界があるということではないだろうか。

でもそれは、「面白い」が「美しい」の否定でない、ということではないだろうか。

両者が共存する、ということではないだろうか。

誰もが夕日を前にしては、「きれいだ」という。「面白さ」からはじめ、もう、そうはいえないところへ、連れてゆかれるのだ。

4　一階の批評へ

「原的なもの」と「原的な直観」

批評の一番底にはこの世間のうごめきがある。頭上には世界がある。地上に世間がある。批評はすぐれた思考であろうとこの世間の風とせめぎあい、その中間に、噴水の上のゴムマリのように浮かんでいる。

あることばが、何か心にとどまる、すぐれている、と感じられるとき、起こっていることは、よく考えてみるなら、そういうことである。何かが中空に浮かび、とどまる。知識の量、頭脳の明晰さ、着眼の面白さに還元されないものが、そこにある。すぐれた批評に接したと感じるとき、私たちは、他なる思考の泳者がたしかに私たちのなかの世間にしっかりとタッチして、私たちをその世間的思考から彼岸まで連れて行き、さらに私たちのなかの世界にタッチした後、もう一度、世間の場所に連れ帰るのを、感じているのである。

数年前、サルトルの『嘔吐』という小説をもう何十年ぶりかで読んだ。面白かった。しかし、その後、自分のなかに入ってきたフッサールの考え方に照らして、同じく「原的なもの」「原的な直観」といっても、二人の考えはだいぶ違うのだなということがよくわかった。

『嘔吐』では、主人公のロカンタンがマロニエの根っこを前にして、世界の意味の編み目から落ちこぼれたものが塊としてそこにあるのを感じ、これまで自分に襲ってきていた「吐き気」の理由を、天啓のように知る。彼は意味の世界の向こうに「原的なもの」を見る。意味が剝がれ落ち、ただそこにある「もの」そのもの、これがサルトルのいう「原的なもの」である。しかし、フッサールがいう「原的な直観」は、人がコップを見る、夢かもしれないし、模造かもしれないのに、ここにコップがあることが疑えないと感じる、その疑えなさのことを、いう。

なぜ疑えない、と感じるのか。

それで、その直観の由来を考えるために、一時的に判断を停止してみる、機械をとめてみるのが、現象学でいう一時的判断停止、エポケーである。

両者の違いをいうのに、こういってみよう。時計が動いている。なぜ動いているかを調べようと思ったら、これを一時的にとめ、分解してみなければならない。分解すると時計は膨大な無意味なカケラの集積になる。時計は意味を解体され、モノの集積になる。ロカンタンは、自分の前に世界がそのようなモノのかたまりになって現れるのを見て、世界は見かけのものだと感じる。その底には無意味なもの、不気味なものが横たわっている、と。だから、彼は自分の住むブーヴィルの俗人たちを、俗っぽいプチブル、ブルジョワたちと呼び、否定の対象にする。

しかし、フッサールでは時計を解体するのは、なぜ時計が動くのかを知るためである。そのためには、時計が無意味なモノの集積にまで分解されるのは、まだ半分の行程にすぎない。それだけではなぜそれが動くのかは証明できないからである。次には、もう一度、先ほどの逆の手順で、これを組み立て、完成して、ねじを巻き直し、それが先とまったく同じに動くのを確認しなければならない。フッサールでは、最後に、以前とまったく同じ何の変哲もない時計が残る。それが以前とまったく同じ、ふつうの時計であることが、そこではもっとも大事なことである。

一階の視点を手放さないこと

先に筆者が内田の語るレヴィナスが、無限と向かい合わないふつう一般の人のあり方は誤りだ、といっているように聞こえる部分が、どうも困ると述べたこともこのことと関係がある。

困るというよりは、それだと筆者は悲しい、なのだが。

日常的な何の変哲もない、不断の判断の働く場所がある。

しかし、人はときどき、内田が先に前のほうでスーザン・ソンタグについて述べたように、そこから二階に上り、戦場にいったり、本を読んだり、情報を集めたりして、さらに考えようとする。世のインテリ、知識人といわれる人々がふだんしているのは、そうして二階の住人になるということである。

しかし、また別種の人はときどき、サルトルの書くロカンタンのように、この一階の床のたしかさを疑い、それを剝がし、地下室に降りようとする。意味の世界を解体し、そこから地下室に降りれば、そこにはたしかにもう一階、地下室というものがあり、その床の無意味な感触は、世界が壊れつつあること、そしてその向こうに別個の世界のあることを、教えるのである。

しかし、そのそれぞれの階の世界、それがすべてなのではない。それが他に優位を占めるということはない。二階から、この地下室をはじめて断罪してみせたのは、筆者の考えではハンナ・アーレントである。彼女は、ヴァレリーの『ムッシュー・テスト』の無名性は、かえって社会の産物にすぎない、という考えを提示した。大事なことは、人々のなかに身を置くこと、発語することだといったのである（『人間の条件』）。ソンタグも、同じメッセージを発しているのかもしれない。筆者のようなダメ人間が二階に上らないので、苛立つのかもしれない。逆に地下室から二階を糾弾した存在に、ドストエフスキーの『地下室の手記』の書き手たる四十男がいる。これに対し、サルトルは後に、地下室は二階につながっているとも述べた。「餓えた子ども」と「ロカンタンの孤独」はつながっていると。しかし、ソンタグも、サルトルも、一階の住人を否定するところは共通している。

サルトルとは哲学の中身はまったく違うが、レヴィナスがいっていることも、この地下室から見れば、一階のあり方は、「同一性」の世界であり、虚妄ではないか、ということであり、そのかぎりで一階の否定である。彼らは、一階の世界の根拠薄弱をいい、これを否定する、二階、あるいは地下室に住む哲学者たちである。

しかし、人にとってもっともかけがえがないのは、剝がそうと思えばフィルムのようにきれいに剝がれてしまう、この一階の床なのではないだろうか。

ふつうの人間のふつうの感じ方、これを否定してしまうと、私たちはリラックスすることのうちに判断の基準があるという体感を無くすのではないだろうか。

筆者は軟弱な人間である。謙遜ではなく、軟弱であることを価値と考えている人間である。この一階だけがすばらしいといっているのではない。むろん、一階にいるだけでは問題は解決しない。人はいまそれですむ世界には、生きていない。時に二階に上り、また地下に降りることも必要となるだろう。それどころか、一階の床が抜け、地下に落下することすらあるかもしれない。

しかし、たとえそうなったとしても、つねに一階の視点を失わないこと。そのことが大事ではないだろうか。

ものを考えるとき、人は息をつめる。しかし息をつめ続けていたら死んでしまう。ものを考えるのは、リラックスしていることとの往還なのだ。

　ふだんの人間がふだんに感じる場所だからといって、そこに居続けることがそんなに簡単でないのは、ことばをもつことが、ふつうは、二階に上ることであり、でなければ、地下室に下ることだからである。ことばを手にしてしかも一階の感覚をもちつづけることは、そうたやすくない。

　なるほどドストエフスキーの地下室の住人も地下にもぐる。しかしたしかめてごらん。彼は二階の住人を口をきわめてののしる、しかし、一階のただの住人のことは一度も否定していない。居酒屋にたむろするマルメラードフの徒を、どうして彼が、否定するだろう。一階と二階の違いに、ドストエフスキーは、きわめて敏感である。

　サルトルは戦前、『嘔吐』を書いて地下室のデタッチメントの場所から一階の住人を否定し、戦後は状況への参加を説いて二階のアンガージュマンの場所からやはり一階の住人を否定した。しかし、大事なのは、その逆のことである。

　二階に上り、地下にくだり、しかも一階の感覚を失わないこと。

　逆もいえる。

　一階にとどまり、のほほんと机の前に身をおき、
　しかも、二階の感覚、地下の感覚を、失わずにいること。

あとがき

批評の本を書くことになった。

書いてみたら、どこにもないようなものができた。考えてみたら、これまで批評についての本というものはなかった、のかもしれない。

筆者は、こう書きながら不思議な気持だ。こういうものなら、批評というのも悪くないかもしれない、といまは思っている。

書き出すまでにだいぶ動かないでじっとしている時間があった。でも書き出してからはそれほど時間をかけなかった。久しぶりに編集部の坂本政謙さんと一緒に仕事ができたのがうれしい。編集者として坂本さんにはあまり迷惑はかけなかったけれども、最後、すぐに原稿を読んでくれて的確な感想を寄せてくれたので助かった。このシリーズの一冊として書いたことが、この本の性格を決定している。ここにくるまで何度か話しあった他の編集委員にも、感謝する。

二〇〇五年三月五日

加藤典洋

加藤さんのことばのために

高橋源一郎

加藤典洋さんが亡くなって半年ほどたった。最初は茫然としていたが、そのうち、そんな気分もおさまるものだと思っていた。けれど、あいかわらず、わたしは茫然としたままでいる。なぜだろうか。そのことを考えながら、久しぶりに、加藤さんの『僕が批評家になったわけ』を読んだ。そして、この本の中に加藤さんがいる、と思った。救われた思いがした。

誰かが亡くなるということは、その世界から、彼(もしくは彼女)が立ち去る、ということだ。その結果、わたしたちは、彼(もしくは彼女)がいない世界に残される。そんな当たり前のことを、最近、強く感じるようになった。それは、わたしが「晩年」に近い年齢になったからかもしれない。しかし、彼(もしくは彼女)がいない世界に残される、ということ自体は、ずっと前から経験していたことなのだが。

加藤さんが亡くなってから、以前よりも頻繁に、加藤さんの本を読むようになった。その理由は、おそらく、その本を読んでいると、「そこに加藤さんが生きている」という感覚を味わうことができるからだろう。ならば、この世界にはまだ加藤さんは生きていて、彼は立ち去ってはいないことになる。

この本は、「ことばのために」というシリーズのために書かれた。実は、わたしもこのシリーズに参加していて、何度も、加藤さんや他の参加者たち(荒川洋治さん、関川夏央さん、平田オリザさん)と話をした。ほんとうに楽しかった。楽しすぎて、本を書く暇がなかったぐらいだ(だから、刊行にはずいぶん時間がかかった)。そのせいだろうか、このシリーズの本は、みんな独特の書かれ方をしている。一言でいうなら、自由に、書かれている。

加藤さんの、この『僕が批評家になったわけ』では、どうも、加藤さんは、どんなふうに書くのかはっきり決めないまま、書き始めているように見える。たとえば、最初は、こうだ。

I　批評とは何か

1　この本のタイトル

この本の表題が「僕が批評家になったわけ」になったわけ

批評とは何か。

ということを考えようと思い、準備していたら、面白いことがわかった。

筆者はもう二十年以上のあいだ、批評を書いてきているが、よく考えてみると、批評とは何か、と考えたことなど一度もない。

この本は「批評」についての本なのに、加藤さんは、「批評とは何か、と考えたことなど一度もない」というのである。でも、こういう場合は、著者はそういっているだけで、ほんとうは繰り返し何度も、「批評とは何か」について考えているはずなのに、本というものの都合上、もしくは、こういった文章が要請するものとして、形式的にそういっている(書いている)ものなのだ。でも、加藤さんはちがう。加藤さんだけはちがうのである。もっと正確にいうなら、批評をずっと真剣に書いてきた加藤さんだから、「批評とは何か」について、何度も繰り返し考えたにちがいない。けれども、加藤さんは、それは考えたうちに入らないと思ったのだ。では、なぜなのか。

それは、加藤さんの文章を読んでいてわかることだし、ほんとうは、加藤さんの文章なしでもわかるはずなのだけれど、わたしたちにとっていちばん大切なのは、「そこ」で考えることだからだ。では、「そこ」というのはどこだろう。

どこでもいいのだ。あなたたちがいまいる場所、加藤さんがいまいる場所、わたしたちが何かを考えようとして一瞬息を止めているような場所である。加藤さんは、何かを考える瞬間、あるいは、考え始める瞬間を大切にしている。それは、その環境、どんな心境だったか、どんなことがその直前にあったのか、体調はどうだったのか、その他もろもろ、その人物を取り巻いている環境によってすっかり変わってしまうのである。その、何かを考え始める瞬間こそ、「批評」の、いや、あらゆる「考える」こと、ことばに関するすべての生まれる場所なのだ。そして、その瞬間をこそ、加藤さんは、読者であるわたしたちに見せてくれようというのである。

この本の冒頭についてはもう触れた。そこから少し進んだところで、加藤さんは、こう続けている。

タイトルはこうだけれども、筆者の考える、批評、ことば、批評にまつわるいろいろなことを、心に浮かぶまま、書いていく。

普遍的なことを心もとない言い方でいうこと

(……)トロッコが脱線する。ゴトゴトと揺れながら、レールのないところにはみ出ていく。本当の哲学は哲学に抵抗する、といったのはパスカルかな。
批評も同じ。
何か心もとないな、と思われるかもしれない。

しかし筆者の考えでは、この心もとないゴトゴト歩きのなかに批評は生きている。

というわけで、加藤さんは、「心もとないゴトゴト歩き」にたどり着く。たぶん、これは、書きながら思いついたフレーズだと思う。あるいは、もともと、加藤さんの中に浮遊していたことばだったけれど、いまその瞬間、思い出され、明るみに出されたのだ。そのことに読者は気がつく。用意されたのではなく、「ゴトゴト歩き」と共に出現することば。それが「批評」である。だとするなら、もう十分のような気もする。さらに、この文章の、ほんの少し後。

では、筆者にとって批評とは何か。
とりあえず、
「ことばで出来た思考の身体」
といっておく。
だから、
大事なのは、
まず、
「自分で考えること」である。

誰だって気がつくだろう。この文章はおかしい。いやちがう。文章はおかしくないけれど、文章の並べ方がおかしい。どうして、こんなに改行が多いのか。っていうか、これ、詩みたいだね。

それは、加藤さんが、この本にとって最初の「大切なところ」にたどり着いたからだ。というか、ぶつかったからだ。おそらく、加藤さんは、こうやって文章を書きながら、「あっ」と思ったはずだ。目の前に、いま書きつつあることに関して大切な「標識」が見えた。「あっ」。当人は気づいたけれど、ぜひとも、読者にも気づいてもらいたい。どうしよう。キョロキョロあたりを見まわす……そんな暇はないはずだ。だって、そんなことをしていたら、その箇所を通りすぎてしまうから。で、加藤さんは、「改行」したのだ。

これは「気をつけて」の印だ。ここで景色が変わりますよ、と教えてくれたのだ。ありがとう、加藤さん。

こういう文章を批評の文として選んだ人を、わたしは見たことがない気がする。こんなに親切な批評なんか、読んだことがないのである。

これから先は、もう、わたしにはいうことがない。加藤さんは、というか、加藤さんの文は、このまま、この調子で進んでゆくのである。もちろん、何も用意していないのではない。途中には必ず、誰かの素晴らしい文章が、マラソンの中継点で机の上に載っている給水用のボトルのように用意されている。でも、それがどんな味がするのか、身体の何に役に立つのかは、加藤さんだって知らないだろう。ただ、加藤さんは走り、ボトルを取り上げ、一緒に走っている(中継を見ているだけかもしれないけれど、いつしか、自分も一緒に走っているような気がしているはずの)読者に、差し出してくれるのである。

走れ、走れ。でも、無理せずに。周りの景色を楽しみながら、沿道で応援してくれている(少ないかもしれないけれど)人たちに感謝しつつ、走ってゆく。やがて、ゴール地点に着いたとき、わたしたちは、「批評」というものが「読む」ものや「鑑賞する」ものであるより、「経験」するものであることに気づくのである。

(たかはし　げんいちろう・作家)

本書は二〇〇五年五月、シリーズ「ことばのために」
のうちの一冊として岩波書店から刊行された。

僕が批評家になったわけ

2020年1月16日　第1刷発行

著　者　加藤典洋《かとうのりひろ》

発行者　岡本　厚

発行所　株式会社　岩波書店
〒101-8002 東京都千代田区一ツ橋 2-5-5

案内 03-5210-4000　営業部 03-5210-4111
https://www.iwanami.co.jp/

印刷・精興社　製本・中永製本

ISBN 978-4-00-602317-1　　Printed in Japan

岩波現代文庫創刊二〇年に際して

二一世紀が始まってからすでに二〇年が経とうとしています。この間のグローバル化の急激な進行は世界のあり方を大きく変えました。世界規模で経済や情報の結びつきが強まるとともに、国境を越えた人の移動は日常の光景となり、今やどこに住んでいても、私たちの暮らしは世界中の様々な出来事と無関係ではいられません。しかし、グローバル化の中で否応なくもたらされる「他者」との出会いや交流は、新たな文化や価値観だけではなく、摩擦や衝突、そしてしばしば憎悪までをも生み出しています。グローバル化にともなう副作用は、その恩恵を遥かにこえていると言わざるを得ません。

今私たちに求められているのは、国内、国外にかかわらず、異なる歴史や経験、文化を持つ「他者」と向き合い、よりよい関係を結び直してゆくための想像力、構想力ではないでしょうか。

新世紀の到来を目前にした二〇〇〇年一月に創刊された岩波現代文庫は、この二〇年を通して、哲学や歴史、経済、自然科学から、小説やエッセイ、ルポルタージュにいたるまで幅広いジャンルの書目を刊行してきました。一〇〇〇点を超える書目には、人類が直面してきた様々な課題と、試行錯誤の営みが刻まれています。読書を通した過去の「他者」との出会いから得られる知識や経験は、私たちがよりよい社会を作り上げてゆくために大きな示唆を与えてくれるはずです。

一冊の本が世界を変える大きな力を持つことを信じ、岩波現代文庫はこれからもさらなるラインナップの充実をめざしてゆきます。

（二〇二〇年一月）

B248-249
昭和囲碁風雲録（上・下）　中山典之
隆盛期を迎えた昭和の囲碁界。碁界きっての書き手が、木谷実・呉清源・坂田栄男・藤沢秀行など天才棋士たちの戦いぶりを活写、波瀾万丈な昭和囲碁の世界へ誘う。

B250
この日本、愛すればこそ
―新華僑四〇年の履歴書―　莫邦富
文化大革命の最中、日本語の魅力に憑かれた青年がいた。在日三〇年。中国きっての日本通となった著者による迫力の自伝的日本論。

B251
早稲田大学　尾崎士郎
『人生劇場』の文豪尾崎士郎が、明治・大正期の学生群像を通して、希望と情熱の奔流に衝き動かされる青年たちを描いた青春小説。
〈解説〉南丘喜八郎

B252-253
石井桃子コレクションⅠ・Ⅱ
幻の朱い実（上・下）　石井桃子
二・二六事件前後、自立をめざす女性の魂の交流を描く。著者生涯のテーマを、八年かけて書き下ろした渾身の長編一六〇〇枚。
〈解説〉川上弘美

B254
石井桃子コレクションⅢ
新編 子どもの図書館　石井桃子
一九五八年に自宅を開放して小さな図書室を開いた著者が、本を読む子どもたちの、いきいきとした表情と喜びを描いた実践の記録。
〈解説〉松岡享子

2020.1

岩波現代文庫［文芸］

B255
石井桃子コレクションⅣ
児童文学の旅
石井桃子

欧米のすぐれた編集者や図書館員との出会いと再会、愛する自然や作家を訪ねる旅など、著者が大きな影響をうけた外国旅行の記録。〈解説〉松居　直

B256
石井桃子コレクションⅤ
エッセイ集
石井桃子

生前刊行された唯一のエッセイ集を大幅に増補、未発表の二篇も収める。人柄と思索のにじむ文章で生涯の歩みをたどる充実の一冊。〈解説〉山田　馨

B257
三毛猫ホームズの遠眼鏡
赤川次郎

想像力の欠如という傲慢な現代の病理――。「まともな日本を取り戻す」ためにできることとは？『図書』連載のエッセイを一括収録！

B258
僕は、そして僕たちはどう生きるか
梨木香歩

集団が個を押し流そうとするとき、僕は、自分を保つことができるか――作家梨木香歩が、少年の精神的成長に託して現代に問う。〈解説〉澤地久枝

B259
現代語訳　方丈記
佐藤春夫

世の無常を考察した中世の随筆文学の代表作。日本人の情感を見事に描く。佐藤春夫の訳で味わう。長明に関する小説、評論三篇を併せて収載。〈解説〉久保田淳

2020. 1

岩波現代文庫[文芸]

B260
ファンタジーと言葉
アーシュラ・K・ル＝グウィン
青木由紀子訳

〈ゲド戦記〉シリーズでファン層を大きく広げたル＝グウィンのエッセイ集。ウィットに富んだ文章でファンタジーを紡ぐ言葉について語る。

B261-262
現代語訳 平家物語(上・下)
尾崎士郎訳

平家一族の全盛から、滅亡に至るまでを描いた軍記物語の代表作。日本人に愛読されてきた国民的叙事詩を、文豪尾崎士郎の名訳で味わう。〈解説〉板坂耀子

B263-264
風にそよぐ葦(上・下)
石川達三

「君のような雑誌社は片っぱしからぶっ潰すぞ」――。新評論社社長・葦沢悠平とその家族の苦難を描き、戦中から戦後の言論の裏面史を暴いた社会小説の大作。〈解説〉井出孫六

B265
坂東三津五郎 歌舞伎の愉しみ
坂東三津五郎
長谷部浩編

世話物・時代物の観かた、踊りの魅力など、俳優の視点から歌舞伎鑑賞の「ツボ」を伝授。知的で洗練された語り口で芸の真髄を解明。

B266
坂東三津五郎 踊りの愉しみ
坂東三津五郎
長谷部浩編

踊りをもっと深く味わっていただきたい――そんな思いを込め、坂東三津五郎が踊りの全てをたっぷり語ります。格好の鑑賞の手引き。

岩波現代文庫[文芸]

B267
世代を超えて語り継ぎたい戦争文学
澤地久枝
佐高　信

『人間の條件』や『俘虜記』など、戦争と向き合い、その苦しみの中から生み出された作品たち。今こそ伝えたい「戦争文学案内」。

B268
だれでもない庭
―エンデが遺した物語集―
ミヒャエル・エンデ
ロマン・ホッケ編
田村都志夫訳

『モモ』から『はてしない物語』への橋渡しとなる表題作のほか、短編小説、詩、戯曲、手紙など魅力溢れる多彩な作品群を収録。自筆の挿絵多数。

B269
現代語訳 好色一代男
吉井　勇

愛欲の追求に生きた男、世之介の一代を描いた西鶴の代表作。国民に愛読されてきた近世文学の大古典を、文豪の現代語訳で味わう。〈解説〉持田叙子

B270
読む力・聴く力
河合隼雄
立花　隆
谷川俊太郎

「読むこと」「聴くこと」は、人間の生き方にどのように関わっているのか。臨床心理・ノンフィクション・詩それぞれの分野の第一人者が問い直す。

B271
時間
堀田善衞

人倫の崩壊した時間のなかで人は何ができるのか。南京事件を中国人知識人の視点から手記のかたちで語る、戦後文学の金字塔。〈解説〉辺見　庸

2020. 1

B272
芥川龍之介の世界
中村真一郎

芥川文学を論じた数多くの研究書の中で、中村真一郎の評論は、傑出した成果であり、最良の入門書である。〈解説〉石割　透

B273-274
法服の王国　小説裁判官(上・下)
黒木　亮

これまで金融機関や商社での勤務経験を生かしてベストセラー経済小説を発表してきた著者が新たに挑んだ社会派巨編・司法内幕小説。〈解説〉梶村太市

B275
惜《せき》櫟《れき》荘《そう》だより
佐伯泰英

近代数寄屋の名建築、熱海・惜櫟荘が、新しい「番人」の手で見事に蘇るまでの解体・修復過程を綴る、著者初の随筆。文庫版新稿「芳名録余滴」を収載。

B276
チェロと宮沢賢治　―ゴーシュ余聞―
横田庄一郎

「セロ弾きのゴーシュ」は、音楽好きであった賢治の代表作。楽器チェロと賢治の関わりを探ることで、賢治文学の新たな魅力に迫る。〈解説〉福島義雄

B277
心に緑の種をまく　―絵本のたのしみ―
渡辺茂男

児童書の翻訳や創作で知られる著者が、自らの子育て体験とともに読者に語りかけるように綴った、子どもと読みたい不朽の名作絵本45冊の魅力。図版多数。〈付記〉渡辺鉄太

2020. 1

B278
ラニーニャ
伊藤比呂美

あたしは離婚して子連れで日本の家を出た。心は二つ、身は一つ…。活躍し続ける詩人の傑作小説集。単行本未収録の幻の中編も収録。

B279
漱石を読みなおす
小森陽一

戦争の続く時代にあって、人間の「個性」にこだわった漱石。その生涯と諸作品を現代の視点からたどりなおし、新たな読み方を切り開く。

B280
石原吉郎セレクション
柴崎聰編

石原吉郎は、シベリアでの極限下の体験を硬質にして静謐な言葉で語り続けた。テーマ別に随想を精選、詩人の核心に迫る散文集。

B281
われらが背きし者
ジョン・ル・カレ
上岡伸雄
上杉隼人訳

恋人たちの一度きりの豪奢なバカンスがマフィアの取引の場に！ 政治と金、愛と信頼を賭けた壮大なフェア・プレイを、サスペンス小説の巨匠ル・カレが描く。〈解説〉池上冬樹

B282
児童文学論
リリアン・H・スミス
石井桃子
瀬田貞二訳
渡辺茂男

子どものためによい本を選び出す基準とは何か。児童文学研究のバイブルといわれる名著が、いま文庫版で甦る。〈解説〉斎藤惇夫

2020. 1

岩波現代文庫［文芸］

B283
漱石全集物語
矢口進也

なぜこのように多種多様な全集が刊行されたのか。漱石独特の言葉遣いの校訂、出版権をめぐる争いなど、一〇〇年の出版史を語る。〈解説〉柴野京子

B284
美は乱調にあり
―伊藤野枝と大杉栄―
瀬戸内寂聴

伊藤野枝を世に知らしめた伝記小説の傑作が、文庫版で蘇る。辻潤、平塚らいてう、そして大杉栄との出会い。恋に燃え、闘った、新しい女の人生。

B285-286
諧調は偽りなり（上・下）
―伊藤野枝と大杉栄―
瀬戸内寂聴

アナーキスト大杉栄と伊藤野枝。二人の生と闘いの軌跡を、彼らをめぐる人々のその後とともに描く、大型評伝小説。下巻に栗原康氏との解説対談を収録。

B287-289
口訳万葉集（上・中・下）
折口信夫

生誕一三〇年を迎える文豪による『万葉集』の口述での現代語訳。全編に若さと才気が溢れている。〈解説〉持田叙子（上）、安藤礼二（中）、夏石番矢（下）

B290
花のようなひと
佐藤正午
牛尾篤画

日々の暮らしの中で揺れ動く一瞬の心象風景を〝恋愛小説の名手〟が鮮やかに描き出す。秀作「幼なじみ」を併録。〈解説〉桂川潤

2020. 1

岩波現代文庫[文芸]

B291
中国文学の愉しき世界
井波律子

烈々たる気概に満ちた奇人・達人の群像、壮大にして華麗な中国的物語幻想の世界！　中国文学の魅力をわかりやすく解き明かす第一人者のエッセイ集。

B292
英語のセンスを磨く
—英文快読への誘い—
行方昭夫

「なんとなく意味はわかる」では読めたことにはなりません。選りすぐりの課題文の楽しく懇切な解読を通じて、本物の英語のセンスを磨く本。

B293
夜長姫と耳男
近藤ようこ漫画
坂口安吾原作

長者の一粒種として慈しまれる夜長姫。美しく、無邪気な夜長姫の笑顔に魅入られた耳男は、次第に残酷な運命に巻き込まれていく。
〔カラー6頁〕

B294
桜の森の満開の下
近藤ようこ漫画
坂口安吾原作

鈴鹿の山の山賊が出会った美しい女。山賊は女の望むままに殺戮を繰り返す。虚しさの果てに、満開の桜の下で山賊が見たものとは。
〔カラー6頁〕

B295
中国名言集 一日一言
井波律子

悠久の歴史の中に煌めく三六六の名言を精選し、一年各日に配して味わい深い解説を添える。毎日一頁ずつ楽しめる、日々の暮らしを彩る一冊。

2020.1

岩波現代文庫[文芸]

B296
三国志名言集
井波律子

波瀾万丈の物語を彩る名言・名句・名場面の数々。調子の高さ、響きの楽しさに、思わず声に出して読みたくなる! 情景を彷彿させる挿絵も多数。

B297
中国名詩集
井波律子

前漢の高祖劉邦から毛沢東まで、選び抜かれた珠玉の名詩百三十七首。人が生きることの哀歓を深く響かせ、胸をうつ。

B298
海うそ
梨木香歩

決定的な何かが過ぎ去ったあとの、沈黙する光景の中にいたい——。いくつもの喪失を越えて、秋野が辿り着いた真実とは。〈解説〉山内志朗

B299
無冠の父
阿久悠

舞台は戦中戦後の淡路島。「生涯巡査」の父をモデルに著者が遺した珠玉の物語が文庫に。父親とは、家族とは? 〈解説〉長嶋有

B300
実践 英語のセンスを磨く
—難解な作品を読破する—
行方昭夫

難解で知られるジェイムズの短篇を丸ごと解説し、読みこなすのを助けます。最後まで読めば、今後はどんな英文でも自信を持って臨めるはず。

2020.1

岩波現代文庫［文芸］

B301-302
またの名をグレイス（上・下）
マーガレット・アトウッド
佐藤アヤ子訳

十九世紀カナダで実際に起きた殺人事件を素材に、巧みな心理描写を織りこみながら人間存在の根源を問いかける。ノーベル文学賞候補とも言われるアトウッドの傑作。

B303
塩を食う女たち
聞書・北米の黒人女性
藤本和子

アフリカから連れてこられた黒人女性たちは、いかにして狂気に満ちたアメリカ社会を生きのびたのか。著者が美しい日本語で紡ぐ女たちの歴史的体験。〈解説〉池澤夏樹

B304
余白の春
―金子文子―
瀬戸内寂聴

無籍者、虐待、貧困――過酷な境遇にあって自らの生を全力で生きた金子文子。獄中で自殺するまでの二十三年の生涯を、実地の取材と資料を織り交ぜ描く、不朽の伝記小説。

B305
この人から受け継ぐもの
井上ひさし

著者が深く関心を寄せた吉野作造、宮沢賢治、丸山眞男、チェーホフをめぐる講演・評論を収録。真摯な胸の内が明らかに。〈解説〉柳　広司

B306
自選短編集　パリの君へ
高橋三千綱

売れない作家の子として生を受けた芥川賞作家が、デビューから最近の作品まで単行本未収録の作品も含め、自身でセレクト。岩波現代文庫オリジナル版。〈解説〉唯川　恵

2020. 1

B307-308
赤い月(上・下)
なかにし礼

終戦前後、満洲で繰り広げられた一家離散の悲劇と、国境を越えたロマンス。映画・テレビドラマ・舞台上演などがなされた著者の代表作。〈解説〉保阪正康

B309
アニメーション、折りにふれて
高畑勲

自らの仕事や、影響を受けた人々や作品、苦楽を共にした仲間について縦横に綴った生前最後のエッセイ集、待望の文庫化。〈解説〉片渕須直

B310
花の妹 岸田俊子伝
―女性民権運動の先駆者―
西川祐子

京都での娘時代、自由民権運動との出会い、政治家・中島信行との結婚など、波瀾万丈の生涯を描く評伝小説。文庫化にあたり詳細な注を付した。〈解説〉和崎光太郎・田中智子

B311
大審問官スターリン
亀山郁夫

自由な芸術を検閲によって弾圧し、政敵を粛清した大審問官スターリン。大テロルの裏面と独裁者の内面に文学的想像力でせまる。文庫版には人物紹介、人名索引を付す。

B312
声の力
―歌・語り・子ども―
河合隼雄
阪田寛夫
谷川俊太郎
池田直樹

童謡、詩や絵本の読み聞かせなど、人間の肉声の持つ力とは? 各分野の第一人者が「声」の魅力と可能性について縦横無尽に論じる。

岩波現代文庫[文芸]

B313
惜櫟荘の四季
佐伯泰英

惜櫟荘の番人となって十余年。修復なった後も手入れに追われ、時代小説を書き続ける毎日が続く。著者の旅先の写真も多数収録。

B314
黒雲の下で卵をあたためる
小池昌代

誰もが見ていて、見えている日常から、覆いがはがされ、詩が詩人に訪れる瞬間。詩人は詩をどのように読み、文字を観て、何を感じるのか。〈解説〉片岡義男

B315
夢十夜
近藤ようこ漫画
夏目漱石原作

こんな夢を見た――。怪しく美しい漱石の夢の世界を、名手近藤ようこが漫画化。描き下ろしの「第十一夜」を新たに収録。

B316
村に火をつけ、白痴になれ
伊藤野枝伝
栗原康

結婚制度や社会道徳と対決し、貧乏に徹しわがままに生きた一〇〇年前のアナキスト、伊藤野枝。その生涯を体当たりで描き話題を呼んだ爆裂評伝。〈解説〉ブレイディみかこ

B317
僕が批評家になったわけ
加藤典洋

批評のことばはどこに生きているのか。その営みが私たちの生にもつ意味と可能性を、世界と切り結ぶ思考の原風景から明らかにする。〈解説〉高橋源一郎

2020.1